科学情報過程論

―サイエンス・コミュニケーションを超えて―

島田久美子

遊友出版

科学情報過程論

——サイエンス・コミュニケーションを超えて——

目次

概要・目的

科学技術の進歩が社会を激変させる中、市民が科学知にアクセスし、科学知と社会の関係性のあり方の決定に参画することはできないのか、その道筋を探るのが当研究の目的である。地球規模の環境問題から、生命倫理の根幹を変えつつある再生医療や遺伝子改変など、ただ、科学技術が引き起こす変動に、情報共有がないまま市民が巻き込まれるだけでは、極めて危うい状況である。科学情報に市民がアクセスでき、市民社会に何らかのコンセンサスが得られ、科学者や一部の財界人の判断に科学知の利用や研究方針の決定を任せるのではなく、市民が参画することで、社会がデザインされる、そのような道筋を探りたい。単に、トランス・サイエンスとして社会と科学の交錯地点を探るだけでは、産学共同の潮流の中で市民が参画する道筋を引くのは難しいし、科学者と市民のサイエンス・コミュニケーションを探るだけでは、この課題に対応できないのは明白である。そこで、国家や産業などのアクターも対象にした科学情報の流通構造・過程を解析し、科学情報の制御の試みを調べ、あり得べき科学情報の流通を特に市民サイドの参画によるシステム構築の可能性を探索、「科学情報過程論」として提唱したい。この新たな造語とその概念は、市民生活や社会の方向性を決定するような産業・社会活動に関しては、法制度や様々なシステム構築がなされるべきであるという点である。

この論文では、まず第一章で、パーソンズの社会システム論を援用して情報過程の分析装置を提示し、水俣病をモチーフにその分析装置の有効性を検証した。第二章では科学知の代表として大学の理系学部を設定し、第一章で定義した分析装置で、各システム間のコミュニケーションを分析した。第三章で、世界公共財である科学知の代表例であるＤＮＡ情報について分析し、なぜ今、科学情報に市民社会がアクセスする必要があるかを示した。第四章では、グローバルな情報過程として環境問題を取り上げ、国際的な情報過程と国内での違い、問題点を示した。第五章で脳死臓器移植を取り上げ、国内の科学情報過程において、専門家にとって市民社会がどのような位置づけになっているのかを分析した。第六章では、市民社会の進むべき道筋を辿り、従来の科学知とのコミュニケーション施策と問題点を取り上げ、第七章としてそれらをまとめてシステム間のコミュニケーションの現状と課題を分析し、科学情報過程としてどのような施策があればシステム間のコミュニケーションが円滑化し、市民社会の参画度が高まるのか文化システムの改革を主眼にして政策提言を行った。経済、政治でも同様であるが、科学においては、その世界へのインパクトの大きさに比して、その方向性を制御する制度も思想も不足しているといわざるを得ない。まさに、その方向性を探ることは、現代の喫緊の課題と言えると考える。そのため、当該研究を実施する。なお、この論文で分析する科学情報の各分野は、研究・開発あるいは問題の発生が新しく、社会へのインパクトが分かりやすいものを選択した。別の機会に工学など歴史の長い科学知の情報過程に関しても研究を進めたいと考えている。

第一章　科学情報過程論

―サイエンス・コミュニケーションを超えて―

1．はじめに

科学技術を駆使した製品やサービスに囲まれた生活を先進国の市民は送っている。市民サイドからは科学のあり方や科学技術への応用について、情報にアクセスしたり、方向性を定めることに参画することが困難な状態に陥っており、産業界は新しい科学技術を使った新製品の開発に余念がない。新奇性を持ち産業に応用できることが期待される科学像とされ、ＳＴＡＰ細胞スキャンダルのような科学研究を巡る根深い問題も生じている。戦後、日本において科学万能論が登場し、科学技術立国が国是とされた。これは現在まで継続しており、平成7年に制定された科学技術基本法によれば、「科学技術の振興は、科学技術が我が国及び人類社会の将来の発展のための基盤であり、科学技術に係る知識の集積が人類にとっての知的資産である」とされ、科学技術というものが人類の未来に貢献するものだという科学観が示されている。戦後の高度経済成長の中で、四日市ぜんそく、水俣病やイタイイタイ病などの公害問題が生じ、豊かさを追うあまりに環境や人間に配慮しようとしない科学技術のあり方、そしてそのような科学技術を規制しない政府のあり方を目の当たりにし、マスコミや多くの識者により産学協同への批判が行われた。学生運動が勃興し、資本主義の中で国家と科学が癒合したことに対する批判がなされた。科学という語は、社会科学という語にも含まれ、社会科学としての共産主義を標榜する一連の言説が流行した。マルクス主義経済学は、「科学」であり真理であるという思想を持ったかなりの数の左翼思想支持者が存在していた。日本が豊かになるに従って、労働運動とマルクス主義は沈静化し、資本主義や国家資本主義体制への批判は少なくなった。第二次産業が海外に移転し、日本国内の問題、世界先進諸国の問題の関心が公害問題から環境問題へと移行する中、科学技術もソフト化し、反原発運動が細々と展開され、高木仁三郎のような市民科学論に受け継がれた後、東海村の臨界事故などの反省からリスクマネジメントの研究を行うようになった。村上陽一郎などの科学哲学の学者が登場し、新しい科学技術をリスクマネジメントによって選別し、コントロールすれば問題解決になるという風潮が起こった。大学の産学連携が声高に叫ばれるようになる中で、科学者が市民と対話するサイエンス・コミュニケーションや国民の科学的知のレベルアップをはかる目的の科学リテラシーが論じられるようになった。しかし、福島第一原子力発電所の事故、生殖技術・脳死臓器移植に係る生命倫理、軍事兵器開発やＩＴなど、産学協同批判時代の国家や産業界と科学の癒着を批判した、旧左翼の論考を再評価すべき時局にさしかかっていると考える。市民社会がどうやって複雑化した世界における科学をコントロールするかは、リスクマネジメント論では不足で、想定外の被害を知った市民は、アセスメントの有効性も疑うだろう。このような状況下で、高度経済成長期に行われた産学協同批判を、マルクス主義抜きで継承し、科学知と経済システム・国家システムとの関係などのトータルな科学情報過程の中に吸収し、システム間のコミュニケーションという視点で捉えることが必要だと考える。また、科学と社会との関係を論じた先行研究にはトランス・サイエンス[1]とい

1　小林傳司『トランス・サイエンスの時代—科学技術と社会をつなぐ』ＮＴＴ出版、２００７年。

う概念があるが、この概念では、産業と市民社会が同じ社会という範疇に属してしまうため、市民社会の自立性を論考する装置としては、不足であると考える。拙論では、どうして今、システム間のコミュニケーションとして科学を論じなければならないかを概観し、市民社会による科学のコントロールのあり方・あるべき姿について科学情報過程論として提案したい。

2. 日本社会と科学

明治以降、科学は西洋の学問として日本に輸入された。神学や哲学が重んじられてきた西洋の大学においては置かれることのなかった理学部を東京帝国大学は当初から設置した。その一方で、西洋の大学には設置されている神学部は存在しなかった。殖産興業が国是であったため、科学技術が移入され、やがて大学には工学部が誕生した。その意味で、日本の大学という存在は、世界的に出発時から異色であった。京都大学では、西洋の大学とは異なり設立時から工学部が存在した。[2] 西洋においては神学部を頂点に持つ、知の体系であり、倫理性と現実社会への軽蔑を持つ存在だった。西洋における初期の大学の科目からは、「工芸」や「営利目的の学問」がはずされていたことが、クリストフ・シャルルとジャック・ヴェルジェの『大学の歴史』[3] に記されている。日本における理科教育は、当初から

2　村上陽一郎『科学の現在を問う』講談社現代新書、2000年、天野郁夫『大学の誕生』中公新書、2009年に詳しい。
3　クリストフ・シャルル『大学の歴史』文庫クセジュ、2009年p38～。

国策の一翼を担う知識体系であり産業への応用が当然に価値あることと評価され、工業分野の鉱山学や製糸業であり、農業では品種改良や肥料、建築学部では建築や鉄鋼と、進んだ技術を取り入れ、それを応用して日本社会が西欧に追いつくことが求められた。法や政府などの社会科学領域だけでなく、科学技術が西欧の先進性の表れとされ、和魂洋才という考え方が、日本人の進むべき方向性であると論じられた。当初、東京大学に置かれた理学部も、純粋科学研究を行う学科ではなく、他のための基礎的な勉強をするためのものだった。(『科学の社会史　戦争と科学』広重徹[4])。この傾向は帝国大学令とともに強まっていく。

教育制度が整備される中で、理科という科目が生じ、理科教育がスタートするが、これは科学する心を養うものであり、客観といった西洋の科学観とは、異なるものだったことが指摘されている。(『日本理科教育史』板倉聖宣[5]) 国家の中枢に、薩長の子弟が居座り、旧幕臣などの子弟は、科学で身を立てることを選ばざるを得なかった。知的好奇心というよりは、進んだ科学技術を身につけて身を立てることが目指された。

古河鉱業などの民間資本からの寄付も何の批判もなく行われ、多くの大学が民間の寄付金をベースに設立された。やがて、戦時体制に入って、科学は戦争兵器の製造に動員された。学会や研究機関な

4　日本の大学の前身については、儒学の伝統から実学ではなかったことも述べられている。

5　1930年―。東京大学数物系研究科博士課程、理学博士。国立教育研究所に勤務、仮説実験授業を提唱。『日本理科教育史』仮説社、1968年に詳しい。

どは、体制翼賛に借り出される。その頃盛んになった雑誌メディアなども、格好がいい戦艦や戦闘機などを取り上げ、理科好きの少年たちの心を操った。大学は、文科系では、天皇機関説であるとか、民本主義であるとか、あるいは共産主義だとか、日本国家のあり方に批判的なスタンスを持つ教職員が存在し、大学の自治や自由を希求する学生も登場した。東大の矢内原忠雄は、軍国主義的な風潮が強まる中で体制との緊張関係を深め昭和12年、盧溝橋事件の直後、『中央公論』誌に「国家の理想」と題する評論を寄せた。国家が目的とすべき理想は正義であり、正義とは弱者の権利を強者の侵害圧迫から守ることであること、国家が正義に背反したときは国民の中から批判が出てこなければならないことなど、民主主義の理念が先取りして述べられていた。しかし、まもなく東京大学を追われた。(『言論抑圧—矢内原事件の構図』(中公新書) 将基面貴巳) 理科畑においては、産学協同や国策としての科学に異を唱える学者は目立った活動をしていない。東大の第二工学部は、軍事研究を行う工学部として設置され、戦後生産技術研究所になっている。徴兵においても、理工系の旧制大学・旧制専門学校の所属によって兵役が免除されたため、徴兵逃れに進路を理工系にとるものが発生、科学研究における独立性を論じる必要性が認識されることは少なかった。

敗戦後、「科学技術で負けた」[6]という議論が起こり、科学技術立国を国是として、理科教育の再編

6　1945年8月16日の朝日新聞には「科学や物量に敗れた…」という見出しが出た。

が行われた。科学する心から、真の科学研究を行える人材を育成するために、理科の教科研究などを教師たちが熱心に繰り広げた。特に、原子力については、世界唯一の被爆国として平和利用するという方向性がとられたことは特筆に値する。世界的にマルクス主義に影響を受けた学生運動が勃興し、産学協同批判が登場する。その中で、従来の唯物論的科学論という社会進化論から科学論を解き放った日大教授の広重徹[7]は、日本の科学の体制との癒着を批判し、社会の中で科学がどのような役割を担っているのか、つまり科学と国家が結託し、市民を支配搾取していることを批判した。大学の自治をベースとするリベラルアーツ研究のために東大駒場の教養学部に科学史科学哲学学科が置かれ、理学部や工学部とは独立した史的研究を行った。東大からは、水俣病支援を行った東京大学教養学部助手の最首悟[8]、工学部で公害原論の公開講座を実施した宇井純[9]などが、反公害運動を

7　1952年、京都大学理学部物理学科卒業。日本大学理工学部講師（物理学教室物理学史研究室）となり、1973年より同教授を務めた。理学博士。現代物理学史、明治以後の日本の自然科学の社会史的研究。

8　1967年、東京大学理学部動物学科博士課程中退。東京大学教養学部助手。水俣病調査や障害者問題に取り組んだ。和光大学人間関係学部教授、人間関係学部学部長を経て名誉教授。

9　1932年―2006年、沖縄大学名誉教授。東京大学工学部応用化学科卒業。民間企業に勤務した後、東京大学大学院工学系研究科に戻り、東京大学理学部化学専攻修士課程修了、博士後期課程から土木工学専攻に所属する。水俣病を告発し公開自主講座「公害原論」を開催。東京大学で助手を務めた後、沖縄大学教授、地域研究所初代所長、特任教授を歴任。

科学者の立場から行った。国策である原子力を批判した高木仁三郎[10]は東大教授を辞し、市民の為の科学を志すことになる。パラダイム論を紹介した中山茂[11]は、科学というものが真理ではなく、ある時代の知の体系でしかないことを示した。吉岡斉[12]は科学を開放システムとして捉える視点を提起した。しかしながら、高度経済成長後、公害問題は外部不経済を企業活動に繰り入れる、公害防止装置などの科学技術の開発などの対策により、沈静化。第二次産業が人件費の安いアジアなどに移転することにより、国内の公害問題は社会的な論点でなくなっていく。安定した高度消費社会の中で、環境問題が登場し、企業は悪役ではなくなり、全人類の課題として温暖化などが認識されるに至ったのだ。

ソ連邦の崩壊で、冷戦構造が終結するとともに、社会主義についての評価が低下し、日本において

10　1938年〜2000年。理学博士（東京大学）。東京大学理学部化学科卒業。日本原子力事業（日本原子力事業総合研究所核化学研究室）に勤務。1965年、東京大学原子核研究所助手、東京都立大学理学部助教授。東京都立大学を退職。1974年「プルトニウム研究会」を組織。1975年、原子力資料情報室専従世話人、のち代表。反原発運動全国集会事務局長。

11　1928年〜2014年。科学史家。神奈川大学名誉教授。1951年、東京大学理学部天文学科卒業、平凡社に入社。フルブライト留学生としてハーバード大学大学院に入学、1960年、科学・学術史専攻の博士号取得。帰国後、東大教養学部に講師として着任、助教授。1989年、東大を定年退官し、神奈川大学教授。

12　東京大学理学部物理学科卒業、同大学院理学研究科科学史修士課程修了1983年同博士課程中退、和歌山大学経済学部講師、同助教授を経て九州大学教養学部助教授、同比較社会文化研究院教授。内閣府原子力委員会専門委員、経済産業省エネルギー調査会臨時委員などを歴任。

は自民党の第二野党として社会批判を繰り広げた勢力の一つであった社会党が崩壊した。豊かな社会の中で、もはや、資本主義か社会主義かという批判軸は存在せず、どんな資本主義がよいのかという選択の問題に変わった。大学は独立法人に改組され、民間から研究予算を確保することが求められるようになった。産学協同は批判する現象ではなく、大学の生き残りのために積極的に推進する方向性に180度転換した。その中で、科学史の分野からも体制批判が消えていった。その傾向は、東日本大震災の福島第一原子力発電所の事故が起こるまで、継続していた。原発を推進し安全神話を作っていた東大の研究者たちは総称して原子力ムラの住民と揶揄されたが、原子力批判は九州大学教授の吉岡斉が継続して実施している。オゾンホールや地球温暖化、水俣病における生体濃縮のようにリスクを当初から想定できないケースも多いだろう。原子力発電所の再稼動問題では、多くの市民が危険を感じて反対しているが、「科学的」に安全だという研究報告が科学者からなされ、再稼動が次々と許可されようとしている。例えば、鹿児島県の伊藤祐一郎知事は2014年11月7日、九州電力川内原発(同県薩摩川内市)について「原発再稼働を進める政府の方針を理解する」と述べ、再稼働に同意する考えを表明した。県議会も同日の本会議で早期の再稼働を求める陳情を採択。薩摩川内市議会と岩切秀雄市長は既に同意を表明しており、地元の同意手続きは完了した。他の原発も追随しそうだ。そもそも地震の巣である日本列島で大地震が津波とともに発生すれば、第二、第三の福島第一原子力発電所の事故がどうして発生しないと言えるのか、全ての市民が納得できる説明は存在しない。日本における環境アセスメント[13]が、開発のゴーサインに堕したように、科学技術の安全性を問うリスクマネジメントも開発のゴーサインに使われていく危険性が高い。どのような科学技術を選択するかは、「科学的」に安全か否かではなく、ドイツにおいて原子力発電の廃止を市民が投票によって決定したように、市民の選択によるべきものなのではないだろうか。

大学の研究者を中心とする科学者と市民の対話を促進する現行のサイエンス・コミュニケーションでは、社会的に既に重層的に組み込まれている科学技術に市民社会がどう対処するかといった問題には迫れないという課題があると思われる。科学情報過程論では、科学知の担い手である大学などの研究施設が、市民社会を通じて、法システムや政治システムともコミュニケーションを取る必要性を述べていく。産学連携が推進されている中、科学知は経済システムとはコミュニケーションの疎通を迅速に高い頻度で取ることができる。しかし、市民とのコミュニケーションは頻度が少なく、また大学などの科学知のごく一部の情報のみのコミュニケーションである。しかも、一方向で科学知を市民に伝えはするが、市民の側の疑念や要望には応じていない。市民の側が、次章で見ていくように、法システムや政治システムに働きかけ、経済システムを変えていくレベルのシステム間のコミュニケーションに関しては、そもそも市民サイドにノウハウを伝えるような試みはなされてこなかった。市民サイドが、科学情報過程において、どのように動けば状況を動かせるかについて、以下水俣病における科

13　原科幸彦『環境アセスメントとは何か』岩波新書、2011年に詳しい。

学情報過程を検証することで、示してみたい。

3. 水俣病にみる科学情報過程

まず、リスクマネジメントではなぜ、不足なのかを公害問題を例に取り考察を加えたい。水俣病は、当時の科学では解明されていなかった生物濃縮による公害病である。生物濃縮とは、食物連鎖により生体ピラミッドの上位の生物に分解しにくい有害物質が蓄積していく現象である。水俣病は、有機水銀中毒であることは現在では自明の理である。しかし、原田正純の『水俣病』[14]『水俣病は終わっていない』（岩波新書）、政野淳子の『四大公害病』（中公新書）によると、新日本窒素肥料株式会社が化学肥料をカーバイドから製造する過程で生じる有機水銀が原因物質であることが判明するまでには、長い年月を要している。いわば、想定外の疾病だったことは明らかである。当時は、工場排水を海に流しても、膨大な海水に希釈されて何の被害も起こさないとしか考えていられなかった。まず、マスコミ報道などにより、「奇病」としてセンセーショナルな現象として社会に認知されるまでを第一段階とする。それは、1952年8月、熊本県水産課の三好礼治振興係長が水俣市漁業協同組合からチッソの排水を調査してほしいと要望されたことで始まる。アセトアルデヒドの生産開始後に、チッソは排水を百間港だけに流した。県は成分分析を行わず、1954年8月1日に『熊本日日新聞』が猫の狂い

14 長年患者を診察してその実態の解明にとりくんできた一医学者の体験と反省が経年式に書かれている。

死にを報道した。１９５５年にチッソ水俣工場付属病院に姉妹が連れてこられ、伝染病を疑った小児科の野口兼喜が院長の細川一に相談、５月１日に野口が「原因不明の脳症状患者４人が入院した」と報告、これが水俣病の公式確認と呼ばれる日になった。１９５６年５月28日に水俣医師会、水俣市衛生課、水俣市立病院、チッソ病院と「水俣市奇病対策委員会」を設置、死亡患者について調査を始めた。ここで医療と行政へ被害が伝達された。７月27日、水俣市奇病対策委員会はチッソ病院に入院していた８人を「類似日本脳炎」の診断で、市の隔離病舎に収容し、これが「伝染病」説を助長した。８月３日には、熊本県の衛生部から厚生省公衆衛生防疫課に奇病発生が伝わっている。一連のマスコミ報道の影響で、水俣湾で捕れた魚介類の売買が難しくなったり、住民が差別されたりと問題は拡大した。熊本大学では、24日に「医学部水俣奇病研究班」を設置した。１９５６年11月に熊大研究班は、中毒症らしいとの中間発表を行い、チッソ病院でもネコ実験を行っている。熊大研究班でも、ネコの実験を行い、１９５７年３月には、県衛生部に水俣湾内で獲った魚介類を与えたネコが症状を発症したと県衛生部に報告された。

熊本県は、１９５７年３月に水俣奇病対策連絡会を庁内に設置、７月には厚生省の厚生科学研究班も「本症の原因が湾内魚介類にあることは判明した」と発表する。熊本県衛生部は漁獲を禁止することを決定したが、厚生省の指導により自粛の行政指導を行った。１９５８年６月国会で、社会党議員が原因物質について質問、厚生省公衆衛生局が重金属名を答弁している。７月７日には厚生省が原因企業としてチッソの名前を公表、チッソがそれに反論している。この頃から、熊大研究班は「奇病」を「水俣病」と呼ぶようになった。9月にチッソが排水溝を変更し、湾の外に汚染物質が拡大した。奇病の情報が、地方自治体を通じ中央政府に届くとともに、政治システムのチャンネルとしてはマスコミに反応して野党第一党の社会党が国会で質問している。

第二段階として、「奇病」の原因が有機水銀と判明し実際に有機水銀の排出が止まるまで、つまり科学知が市民社会にマスメディアを通じて流布、公害の原因が何かについての正しい認識が法・政治システムに及び、経済システムとのコミュニケーションが図られた時期を置きたい。1959年に熊大研究班はハンターラッセル症候群の論文を参考に、「水俣病の原因物質は水銀化合物特に有機水銀であろう」と公表した。『朝日新聞』がこれをスクープ、水俣市漁協がチッソにヘドロの撤去や排水浄化装置の設置を求めたが、補償金の支払いをチッソは拒否し、第一次漁民騒動が勃発した。チッソは熊大研究班に反論、日本化学工業協会は、「爆薬説」を蒸し返し、10月に厚生省食品衛生調査会の水俣食中毒特別部会は、有機水銀を原因物質とする中間報告を発表、通産省はこれに反対した。10月に特別部会は厚生省に答申し、閣議にかけられたが、池田勇人通産相が反対、特別部会は解散した。60年に経済企画庁主管の水俣病総合調査研究連絡協議会に移されるが、清浦雷作・東京工業大学教授はわずか5日の調査で「有毒アミン説」を提唱し、戸木田菊次・東邦大学教授は現地調査も実施せず「腐敗アミン説」を発表するなど、マスコミや世論も混乱させられた。

59年11月には現地調査を行った国会議員らに水俣病患者家庭互助会らが陳情するとともに、警官隊とデモ隊が衝突、第二次漁民騒動と呼ばれた。不知火海漁業紛争調停委員会が設置され、浄化装置「サイクレーター」設置などの調節案がまとまった。しかし、現実にはこのサイクレーターには水銀を除去する機能はなかった。1962年に熊大研究班は、アセトアルデヒド工場の水銀残滓と水俣湾のアサリからのメチル水銀の抽出に成功、胎児性水俣病の存在も確認された。多くの水俣病患者を家族から出している水俣の漁師たちが、チッソと直接交渉して汚染物質の排出を止めさせたり、何らかの補償を求めたりした。それらの動きに、何人かの研究者は水を指し、熊本大学の研究チームは正しい認識を示すことができ、それらをマスコミは報道した。科学者と患者あるいは企業が直接交渉しても決裂するだけであり、国も一枚岩ではなく有効な調停は難しかった。

第三段階として、公害病と認定され、法的に公害の責任や補償が定められるまで。政治・法システムへのコミュニケーションが図られた時代を区分したい。65年には新潟の阿賀野川でも有機水銀中毒が発生、1967年8月に、国会は公害対策基本法[15]を成立させ、事業者・国などの公害防止に関する責務を謳い、公害とは何かを定義し、健康がすべてに優先するという原則を打ち立てた。1966年

15　「ばい煙規制法」や「水質2法」などの個々の対症療法的な規制では不十分であり、公害対策の基本原則を明らかにし、総合的統一的に推進していくことが重要という考えのもとに、1967年7月に制定された公害防止対策の基本となる法律。1993年の「環境基本法」の成立により廃止となっているが、内容の大部分はそのまま引継がれている。

になってチッソは初めて排水循環方式を完成させ、外部への排水をやめ、68年5月には水俣工場でのアセトアルデヒドの生産を停止した。多くの患者は訴訟を起こし、法的な保障を長い年月を経て勝ち取っていく。訴訟の過程では、チッソは公害の発生源であると認めたものの、生物濃縮の現象などは想定不可能であったとして反論した。患者の認定に関しては、水俣病の定義を巡り、未認定患者の多くが苦しみ続けている。当初国は水俣病発生の責任を認めず、原告と国との裁判はその後も続いた。国は1990年に出された裁判所の和解勧告（9月に東京地方裁判所が、10月に熊本地方裁判所と福岡地方裁判所が相次いで同じ趣旨の勧告を出す）を拒否し、和解に転じるのは1996年で、和解を拒否した水俣病関西訴訟の裁判は、2004年10月まで続いた。

このように、有機水銀中毒であった水俣病が発生してから対策が講じられ、患者が救済されるまでには、メディアや市民社会、産業界や政府、国会、裁判所など多くの組織や機関がかかわっていることがわかる。科学者だけがそこに存在するのではなく、メディア従事者、行政担当者、弁護士や裁判官などの法システムの成員が関わり、法的な措置として国が動くことによって対策が講じられていった。チッソ側も裁判で反論したが、有機水銀が水俣病を引き起こすことは想定外であり、国や企業は公害の原因が自分たちであることを簡単には認めず、爆弾説、アミン説など何人もの科学者が間違った原因説を打ちたて、原因究明の遅れを引き起こしてしまった。公害という現象に国を挙げて取り組むように政府が変貌するまでには、長い年月と犠牲が必要であった。1970年7月に、やっと内閣総理大臣を本部長とする公害対策本部が設けられ、関係閣僚からなる公害対策閣僚会議を設置し、公害対策の基本的な問題についての検討が行われ、公害関係法令の抜本的な整備を目的として、いわゆる「公害国会」が開かれた。

その国会で公害関係14法案が提出され可決・成立、この公害国会の後、環境庁（現：環境省）が設置された。想定外であり原因が特定されない被害が生じた場合、メディアと市民社会が被害者と連携し、まずは身近な地方公共団体や漁協などの組織、地元の医学部など科学者との連携をはかり原因を究明し、被害の拡大を防ぎ補償を勝ち取るためには、弁護士や国会議員などの働きで、司法システムの活用を考えなければならないことがわかる。そして、国会議員などが国会で新たな立法措置を取り、いわゆる公害国会を実現させ、国として問題に対応するという行政システムの活用を可能にしていくプロセスが不可欠であったことはいうまでもない。そして、公害対策基本法の成立をもって、産業界は公害対策に乗り出すことを余儀なくされていった。経済システムへの波及である。かくして、システム間のコミュニケーションによって、公害の時代は終焉する。

4．科学情報過程論

水俣病の発見から対策が講じられるまでを辿ることで、科学情報過程を構造的に明らかにすることを目指し、どのようなコミュニケーションが制度的に必要であるのか、社会システム論を援用しながら、提案していきたい。まずは、パーソンズの社会システム論について触れたい。パーソンズの社会システム論は『政治と社会構造』（１９７３年）の前後から用いるようになったＡＧＩＬ図式で、社会的システム存続の機能的要件をまとめたものである。パーソンズによると社会システムがその活動を維持していくためには、①システムとシステムの外部環境との関係の調整、②システム内部の成員間の関係の調整という2つの機能的要件がある。これらのうち「外部環境との調整」には、目標達成：外部に働きかけてシステムの目標を達成する環境への適応をはかる、資源調達：環境に適応し目標を達成するために活動に必要な資源を調達するという2つの機能的要件がふくまれる。「システム内部の

図１　AGIL図式（著者作成）

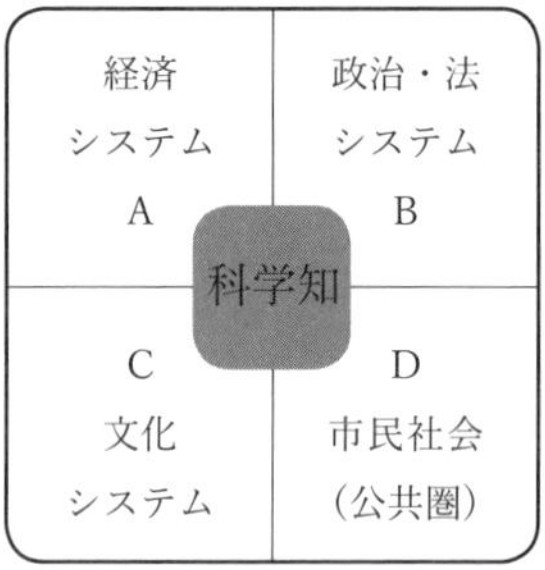

図２　科学知をめぐる社会システムのモデル（筆者作成）

調整」に関しては、統合：役割分担の明確化など成員の秩序だった活動を実現する、潜在的パターン維持：相互の融合を図り、さまざまな緊張を解消するという機能的要件がある。これが、システム内部とシステム間のコミュニケーションである。これらの機能的要件は図1のように整理できる。A・G・I・Lは各要件の頭文字である。社会システムはこれらの機能的要件を満たすためのサブシステムを形成する。図1にある経済システムは、全体社会におけるA次元に対応する機能を担っている。他のサブシステムも同様に形成されている。パーソンズはAGILの機能要件が、社会システム一般の機能要件を網羅していると考えて、この図式にもとづいて社会システムの変容や維持のプロセスを分析することを提唱した。この図式を使った分析には、社会が複雑化した現在でも、かなりの有効性があると考える。

市民社会と政治システムのコミュニケーション、市民社会と経済システムのコミュニケーション、市民社会と文化システムのコミュニケーション。これらの全てに科学知がどのように開いていけばいいのかについて社会システム論の図式を援用して考察し、科学情報過程論として提言したい。また、社会システム論に関しては、社会を全体としてみる理論は個々人の実存的な意味について問うことができないとの批判も受けていることは言うまでもない。ルーマンは『社会システム論』で、「実存する人間に取っての意味が従来の社会システム論には不在」だと指摘した。ルーマンによれば、世界とは、現実に体験できる事柄だけでなく、それを超えた可能性からなる複雑なものだという。世界は不確実なもので、これを確かなものとして捉えるために、人間は意味によって世界を秩序づける。これがルーマン社会学の主要概念である「複雑性の縮減」と呼ばれる現象である。ルーマンは、社会システムは複雑性の縮減を行う相互のコミュニケーションとして存在し、複雑性の縮減を前提として初めて個々人の行為やアイデンティティーが成立すると考えた。すなわち、市民社会を構成する個々人の実存によって、社会が存立を変えていく過程としてのコミュニケーションを考慮することが必要であることが分かる。

また、ハーバマスは『コミュニケーション的行為の理論』において、現代社会では科学技術が客観的に体系化され、目的合理性について科学技術体系は絶対的根拠を持つとした。あらゆる政治行為の価値は、目的合理性について科学的あるいは技術的に正当か否かの判断抜きには成立せず、イデオロギーが何らかの制度を社会に確立する際に、目的合理性に合致しているかどうかということが大きな影響を持つとする。そして、目的合理性が支配的な観念となった社会では、人間疎外が生じ文化的な人間性は否定され、人間行動は目的合理性に適合的なように物象化され、目的合理性が存立の根拠である政治システム・経済システムが生活世界を植民地化すると指摘している。科学知は、生活世界を植民地化する目的合理性の根幹をなす知であると考えられている。科学知そのものが、果たしてハーバマスの考えるような知であるのかということには、トーマス・クーンの科学革命[16]の観点から言えば、

16　トーマス・クーン『科学革命の構造』みすず書房、1971年。

批判はあると思われるが、現代社会において通常は科学知というのは客観的に正しいと扱われることが多いことは事実であろう。

主著の一つである『公共性の構造転換』では、公共性は歴史的に「話し合い」から成立してきたことを論じて、システム的な目的合理性からの「コミュニケーション的転回」を説く。つまり、相手と私を対等と捉えた主体間の「コミュニケーションの質」が重要なのだとする。「言葉」を使って分かり合える可能性がコミュニケーション的理性にはあり、システム的な合理性に支配された社会を、合意によって対話的な関係性へと変革する必要性があるとする。ハーバマスは話し合いによって、生活の舞台（生活世界）を基本とする社会関係を発達させることが必要であるとしている。ハーバマスは人々の連帯、ネットワーク、あるいは、自発的結社（アソシエーション）に期待を寄せている。この論文でも、システム間のコミュニケーションの起点とおいた市民社会は、彼の提起する公共圏であるべきだと考える。

このように社会システム論は、ルーマン・ハーバマスによって批判され、主体的な個人のコミュニケーション的行為によって、意味づけられ編みなおされるものであると論じられてきている。そこで、ルーマンの社会システムを、システム間のコミュニケーションとして変化していくものと見做し、その編みなおしの根幹に市民社会の公共圏の個々人が存在するというモデルを提唱し、科学知をめぐるコミュニケーションと、社会システムの変革として捉えて行きたい。加えて、社会現象がそれぞれのシステムに複雑性の縮減をもって、凝集していく過程を政治・法システムにおける社会現象の立法化とか、文化システムにおける価値観の醸成などとして、捉えて行きたい。そうすることで、社会システム論への批判を吸収しつつ、社会の中の科学情報過程を俯瞰する視座が獲得できると考える。

以下、科学情報過程を分析するために図2に基づいて考察を加えたい。科学知を中心とするマトリックスでB（政治・法―科学知）のコミュニケーションは、国家の科学研究予算や教育、国策としての科学知の利用などのコントロールになる。水俣病の情報過程では、厚生省の原因究明や、通産省の抵抗、閣議決定などがこれにあたる。また、法システムにおいては、市民社会の公害防止の裁判闘争、法制度の設立、政治を通してのコントロールを行おうとする。水俣病では、裁判を通じて多くの科学者が証言し、公害対策基本法の制定、患者の救済に大きな力を果たした。また、多くの弁護士が参加し、市民が裁判を行う患者を支援した。また、マスコミュニケーションが属する文化システムが、市民社会（公共圏）の世論を喚起し、公害企業への批判を強め、また政府野党の議員たちの発言権が増していった。このような、社会の各システムの連動により、化学物質による環境汚染である公害は、日本国内において沈静化していった。

そして、これと連動した形で、A（経済―科学知）のコミュニケーションが存在する。企業が企業研究所や大学研究者と連携して新製品を開発するなどの行為である。それを国家は援助したり、支援したりする。そして、経済システムでは、市民社会に製品を供給し、市民社会はそれを購入するという形で、コミュニケーションは行われる。公害では、市民運動やマスコミの議会へのコミュニケーション、被害者たちの裁判を通じたコミュニケーションを通し、法規制で企業活動が規制されていった。NPOやNGOだけでなく、国家も税や補助金など様々な規制で経済システムをコントロールしようとするが、グローバル化の中で、国家を超えた規制が行いにくくなっているという懸念がある。また、このマトリックスを超えた次元では、国家は軍事技術を用いグローバルなアクターとして軍事同盟や核拡散防止条約など国際的な機構に加盟する。現在では日本政府は、水俣条約を制定し、水銀の国際的取引を規制するような動きさえ生じている。市民社会は、NGOやNPOなどや文化交流でその緊張をコントロールする。国連やノーベル平和賞などの活動もその一環と考えられる。

Dのコミュニケーションは、市民社会・生活圏と科学者とのコミュニケーションである。現在行われている大学の研究者によるサイエンス・コミュニケーションやサイエンスカフェと呼ばれる活動はここに焦点を当てたものと考えられる。水俣病に関しては、まずマスメディアが公害の被害を報道して市民社会に情報を伝え、定期的に情報を伝達することで、原因究明や市民活動のバックアップを行った。市民科学者を志向した大学研究者たちが、マスメディアに発言したり、政策に関わったりすることで、市民社会の公害への関心を高めていった。先にも述べたように、公害時代の科学者の中には政策批判や産業批判も恐れずに行う機運があり、そのような活動が、市民社会の意識を啓発していった側面が大きい。単なる、最新の科学技術を知ってもらうだけの、サイエンスカフェとは社会的な志向が異なっていたことは確かである。

またCのコミュニケーションは、マスコミや教育など文化的なシステムと科学知とのコミュニケーションである。水俣病に関しても、石牟礼道子の『苦海浄土』や多くのドキュメンタリー映画、ユージン・スミスの写真集『水俣』、テレビドキュメンタリーや教育など多くの影響を市民社会に与えた。また、市民社会からも、多くの伝え手が生み出された。

当時は、義務教育や高等教育を担う教師の間に、公害教育という取り組みが生じており、若者の公害問題への関心と取り組みを醸成した。公害教育は役割を終え、環境教育に流れ込んでいる。しかし、公害教育の時代に行われた消費者教育の側面は、最早加害者＝企業という前提がなくなった環境教育の中にそれほど生かされていない。良くも悪くも、地球市民がエコな生活を送る必要があるという環境教育には、社会をどう主体的に変革して行くのかという視点は不在と言えるのではないか。また査読などのシステムを取る科学知内部のコミュニケーションのあり方も問われている。ＳＴＡＰ細胞の一連の騒動や、多くの捏造や剽窃などのモラルが問われている。

科学者は、科学技術を科学者だけの力でコントロールしようと試みるが、想定外の現象は必ず生じ、市民社会に影響を及ぼす可能性が強い。科学知をコントロールするには、他のシステムの専門家との協力が欠かせない。そして、マスメディアやＩＴなどの情報網と市民社会の連携を通して、科学や科学技術を監視し、その方向性が危うい場合には、司法手段を講じたり、政治システムを通して、業界を動かしていく必要があるのはいうまでもない。産学協同という現象を、批判するのではなく、経済システムと科学知のコミュニケーションを、科学情報過程の一環として、もっと大きな科学情報過程を想定していくことで、市民社会がこの科学技術社会をコントロールしていく可能性を追求すべきであると考える。現行の科学知の流通過程は、経済システムとのチャンネルばかりがクローズアップされているが、そのような傾向は、是正されるべきである。産学協同批判は、市民社会がこの科学情報過程にどう係るかを指し示す一つの問題提起として受け止めるべきではないのだろうか。

以下、この章で提案したシステム間のコミュニケーションという概念で、社会の諸システムと科学知のコミュニケーションについて分析していきたい。

第二章　科学知と大学

1. はじめに

それでは、科学知の代表として存在する大学と、諸システムとの関係性はどのようなもので、どんな問題があるのだろうか。本章では科学の専門知を象徴する大学の理系学部が、どのように成立してきたかを検証し、現在どのような状況にあるかを分析し、市民社会と専門知の関係の在り方を探るために、理系に特化した大学論を試みたい。まず西洋の大学・日本の大学の理科系の学部の設立経緯を調べ、戦中の科学者の社会的ポジショニング、戦後の科学の再出発について論を進め、学生運動が盛んだった時代、独立行政法人化以降の現在までを概観する。近年のわが国の国を挙げての産学協同の推進についても、その経緯を概観していく。その上で、システム間のコミュニケーションとして大学の科学教育について問題点を指摘、あるべき姿を提唱する。

2. 西洋の大学・日本の大学

西洋（初期にはイタリア・フランスが主）の場合、中世の大学[17]は、法・医・神の各専門学部と、そこに進学する学生の準備教育のための学芸学部（人文学部）の4学部を原則に編成されていた。『大学

17 クリストフ・シャルル／ジャック・ヴェルジュの『大学の歴史』による定義の意味の大学を指す。すなわち、「大学とは、教師と学生が連帯して生み出していく自律的な共同体であり、そこでは高い水準で諸科目の教育が行われる」P7。

の歴史』によると、「自由人を自負する者は、当然の権利としてそれを要求した。すなわちリベラルアーツ[18]を基礎科目とし、聖なるものについての学を上位科目とする学問体系である」としている。中世の大学には医学を除く自然科学を教える学部は存在していなかった。ギリシャ・ローマの古典語を共通の教授・学習用語に、学芸学部で教授される古典学を共通の知的基盤としていたため、中世の大学は国境を越えた学生や教師の自由な移動を可能にするコスモポリタン的存在だった。国民国家はまだ登場しておらず、国家の繁栄といった国策と中世の大学が結びつくことはなかった。このような、大学界の国境を越えた一体性、大学の同一性は、ヨーロッパ世界の統合性を保障してきたカトリック教会の規制の下にあった大学が、宗教改革を経てその支配から逃れた後も、基本的に維持された。[19]ヨーロッパの統合が進む中での、欧州のエラスムス計画・ソクラテス計画なども、西洋の大学という存在の先祖がえりとでも言うべきなのかもしれない。

文部科学省によると、エラスムス計画[20]とは、各種の人材養成計画、科学・技術分野におけるＥＣ（現在はＥＵ）加盟国間の人物交流協力計画のひとつであり、大学間交流協定等による共同教育プログラムを積み重ねることによって、「ヨーロッパ大学間ネットワーク」(European University Network) を

18　文法学、修辞学、論理学、算術、音楽、天文学、幾何学。
19　天野郁夫『大学の誕生（上）』中公新書ｐ14に詳しい。
20　文科省のホームページによる。http://www.mext.go.jp/b_menu/shingi/chukyo/chukyo4/007/gijiroku/030101/2-7.htm（２０１５・10・10）

構築し、ＥＵ加盟国間の学生流動を高めようする計画で、１９８５年12月、当時のＥＣ委員会より閣僚理事会に提出された計画書に始まり、約1年半に及ぶ閣僚理事会での協議を経て、１９８７年6月15日正式決定され、パイロット・プログラムが開始されている。１９９５年以降はエラスムス計画は教育分野のより広いプログラムであるソクラテス計画の一部に位置付けられた。これらの目的は、ＥＣの経済力の強化と加盟国間の結合の促進という、明確で具体的な目標をもって実施された。その目標は、ＥＣ全体として人的資源を養成・確保すること、世界市場でＥＣの競争力を向上させること、加盟国の大学間の協力関係を強化すること、ＥＣ市民という意識を育てることなどである。一国の経済的繁栄を超えた欧州の共通の理念を大学教育が追求でき、日本の大学が基盤として有していない人類にとっての普遍的な知とグローバルな大学教育が矛盾なく結びついていることが興味深い。

19世紀に入り、近代化・産業化の波が押し寄せ、新しい知識と学問の領域が次々に起こり増殖しはじめると、大学は姿を変えざるを得なかった。古典学と神学は、基本文献や知識が決まっており、学生はそれを長い年月をかけて理解・吸収すればよかった。しかし、近代化は、特に科学技術の進化が、このような静的な学問のあり方を変えていった。大学が新しい「知識の創造の場、つまり研究の場」[21]へと姿をかえていったのだ。まず、ドイツが19世紀の初めに、学芸学部を哲学部に変え、新しい学問研究の場とし、それが、ヨーロッパの他の国々へと伝播していった。変革の先頭に立ったドイツの大

21『大学の誕生（上）』Ｐ14。

学でも、自然科学は当初哲学部の枠内に留められていた。産業化の中で急速に出現した、応用的・実用的な科学技術の知は、大学教育の枠の中に入れられることはなかった。

工学・農学などの新興の学問領域は、大学の外側に大学とは別の専門学校として教えられ始めた。ドイツのホッホシューレ、フランスのグランド・ゼコールがこれに当たる。大学と専門学校という二元的な構造を持つ高等教育システムが生み出された。やがて国民国家の形成が進むと、大学は国家との結びつきを強め始めた。大学教育は古典語ではなく、その国の言語で行われるようになり、国家に有用な人材育成の場として利用されるようになった。研究の場であるに留まらず、国家の官僚の養成、近代化・産業化のために大学教育が使われるようになり始めた。このような時代の大学像が明治の日本の大学制度に強い影響を与えている。加えて私立大学が誕生した。特にアメリカにおいて、多様な私立高等教育機関が設置され、民間資本を使って国家の規制から自由な教育を生み出していった。

例えば、アメリカのマサチューセッツ工科大学（ＭＩＴ）は、ボストン技術学校の名で設立され、１８６５年にマサチューセッツ工科大学に改称し開学している。ＭＩＴのホームページ[22]によれば、創立当初は一部の学生を除き、学生は社会人が多く、建設業者や熟練工など既に一定の技能を身につけた人々で、職業訓練学校のような性格を持っていた。１９４０年、軍事技術の研究開発にかかわるようになった。当時、アメリカ軍はイギリス海軍が開発したレーダーに関心を持っており、研究プロジェ

22　http://mitstory.mit.edu/mit-highlights-timeline/#event-mit-names-first-director-digital-learning（２０１５・10・10）

クトを行う上で、設備や運営経験があったＭＩＴに注目した。その一年後、太平洋戦争がはじまるとキャンパス北端に放射線研究所（Radiation Lab・ラドラブ）と称する軍事研究所が設置され、カリフォルニア工科大学などとともに戦争の一翼を担った。さらに新兵器開発のために必要な資金や物資を得ることに成功、学生の徴兵猶予の権利を得た。軍事研究に理科系の大学が従事することで、社会的な地位が向上するのは日本でも見られた現象である。

産学連携の先駆的な動きとしては、１９８０年以降のアメリカで、国内産業が空洞化し、企業の研究が低迷した際に、バイ・ドール法[23]という国の資金を使った発明を大学が所有し、大学から企業への技術移転を促す法律を導入したことが挙げられる。この結果、大学の発明数は飛躍的に増加し、日本総合研究所の金子直哉『産学連携の時代』[24]によると、１９８８年と１９９８年の全米大学の特許取得件数は、それぞれ８１４件、３１５１件となっており、10年間で4倍に増加した。文部科学省は、日本の国公立大学の産学連携制度をアメリカをモデルとして策定しており、その流れは加速している。欧州の大学の教育目標には、明らかにＥＵ市民の育成という理念が置かれているが、大学の歴史が異なるアメリカにおいては、経済システムとの連携が強調されている。

23　新エネルギー産業技術総合開発機構の知的財産に関する説明資料による。

24　Business & Economic Review、２０１２年1月号掲載。日本総研ホームページによる。https://www.jri.co.jp/company/publicity/2003/detail/030102/（２０１５・10・10）

3. 日本の大学における科学

日本における大学の成立だが、明治政府は、早急な近代化・産業化をはかるため、「お雇い外国人」[25]を多数招聘して、諸事業をスタートさせた。『大学の誕生』によれば明治4年には、工部省に技術官僚養成のための学校、工部学校の設立を求める建議書が提出されている。大学設置に関しては、明治元年に新政府の内部に、「大学校」設立の構想があり、明治2年には、昌平坂学問所を改組した国学・漢学の教育を行う学校を「本校」とし、開成学校と医学校という洋学を教える学校を併せて総合的な高等教育機関を設立する構想に発展した。開成学校は「大学南校」、医学校は「大学東校」と呼ばれることになった。明治3年になると、国学派と漢学派の対立が本校で激化したために、政府はこれを廃止、大学南校・大学東校の洋学を中心に大学建設を行うことになった。その大学では、「教科・法科・理科・医科・文科」の5専門領域からなるものだった。

大学南校では、英語、フランス語、ドイツ語の語学教育が行われ、東校では、ドイツ医学が教えられた。学制では、全国に8校の大学を設置しようとしていたが、大学については「大学ハ、高尚ノ諸学ヲ教ル、専門科ノ学校ナリ、其学科、大略左ノ如シ　理学　化学　法学　医学　数理学」という規定があった。西洋の大学とは異なり、進んだ西洋の科学を習得することが当初より、大学教育の中心であったことが分かる。明治6年には、政府は「学制二編追加」として、専門学校の設立構想を打ち出した。専門

25 『大学の誕生（上）』P30に詳しい。

学校の規定は、「専門学校ヲ分ツ左ノ如シ、法学校医学校理学校諸芸学校鉱山学校工業学校農業学校商業学校中医学校外国語学校、コレナリ」として、実用的な自然科学系の学問を教授する機関として定められた。

明治10年には東京開成学校と東京医学校が合併する形で日本初の大学である東京大学が発足した。東京大学の学部編成は、法・理・文・医学であり、理学部は化学科と工学科を併せ、化学、数学物理学及星学、生物学、工学、地質学採鉱学の5学科となっていた。日本の大学はその成立時において、理学部に工学科や採鉱学を持ち実用的な科学技術の教育が、重要な目的となっていたことが分かる。

文部省以外の官庁が設立した専門学校としては、工部省の工部大学校、司法省の法学校、開拓史の札幌農学校、内務省の駒場農学校の4校だった。工部省は明治4年に「工部ニ奉職スル、工業士官ヲ教育スル学校」の設立を構想し、明治6年に工学寮工学校として教育を開始し、明治10年に、工部大学校となっている。教育は英語で行われ、土木、機械、電信、造家、実地化学、採鉱などの7科かならなる総合的な工学教育機関であった。卒業生には工学士の称号が与えられ、7年間の奉職義務があった。札幌農学校は卒業すれば農学士となり、5年間の奉職義務が課された。駒場農学校は、明治10年に内務省勧業寮の農事修学場として発足し、校名を改称した。置かれた学科は、農学・獣医学・農芸化学の3科で、農学士ないし獣医学士の称号が授与された。これらの理科系の専門学校群は、明治政府の上からの産業振興が、民間資本による産業振興に変わる中、役割を明治中ごろには終えていった。

欧州と異なり、日本の大学は、当初から欧州の進んだ諸制度や科学技術を日本に輸入するために組織され、明治の殖産興業の原動力となっていった。明治政府が官僚を養成するために国立大学を発足させたのであり、大学の自治が土台となった西洋とは異なり、大学教育は当初から官学連携が原則であった。明治初期にはまだ産官学のうち産業が未成熟であり、産業界は明治政府の保護の下に育成されていった。産官学の密接な連携により、明治の殖産興業は短時間で実現したといってもいいだろう。殖産興業が大学の理系の学部の目的であったために、国際レベルの研究は国内では殆ど行われず、後世に名を残した研究者たち、北里柴三郎や、野口英世などは、いずれも欧米での研究活動で実績を残している。

第一次世界大戦では、航空機や毒ガスをはじめ科学技術を用いたさまざまな新兵器が投入されて勝敗を左右した。また、貿易が制限される中で国家総動員がなされ、科学を活用して代用品の開発や生産の効率化がはかられたことから欧米では「科学者の戦争」とよばれた。日本でも製品輸入が困難になったことに対応して重化学工業が発展し、国家総動員の一環として科学動員という課題が認識された。ドイツに依存していた染料や薬品などの輸入が困難になり化学工業調査会が設けられ、調査会委員には主に元帝大教授が参画していた。1945年の11月29日の貴族院本会議での河瀬真子爵は「科学技術なる用語は大東亜戦争中戦力増強の為の所産であります」と発言している。[26] 戦争協力を前面に

26　鈴木淳『科学技術政策』山川出版社、2010年P1による。

日本の科学者・科学技術者の組織化が進み、国内における地位が向上していった。

4．戦後の再出発

ＧＨＱの占領政策により、軍事研究だけでなく原子力・航空・レーダーの研究は禁止され、それらの監視も任務として１９４５年に連合国総司令部経済科学局にジョン＝オブライエンを課長として科学技術課が発足した。[27] 戦時下に組織された技術院は１９４５年9月に廃止され、科学の振興は文部省の科学局を改組した科学教育局が担当した。それまでの科学研究を牽引していた陸海軍がなくなったので、文部省の科学政策だけが残り、生活の向上や産業の発展を目的とした科学技術の枠組みで行政が継続された。１９４８年8月に工業技術庁が設けられ、商工省所管の12の試験研究機関をそのもとに集めた。同庁では、鉱業及び工業の科学技術研究により、生産技術の向上を図り、経済の興隆に寄与することを目的とし、欧米先進国からの技術導入と戦時期に広がった技術格差を埋めるのが目的だった。同省は通商産業省になり、科学技術政策を分析し振興強化を訴えた。ＧＨＱ科学技術課の支援のもとで日本学術会議と、科学技術行政協議会が再編された。１９５２年に科学技術庁を設置する議案が作られ、56年に設置が実現した。52年に講和条約が発効し、航空機の研究が解禁され、各省庁の共用機関として航空技術研究所が設けられ、原子力研究も解禁され、学術会議は「原子力の研究と利用

27　同Ｐ１００に詳しい。

に関し、公開、民主、自主の原則を要求する声明」を出した。科学技術庁は国務大臣の長官のもと、科学技術の振興を図り、国民経済の発展に寄与するため、科学技術に関する基本的な政策の企画・立案・推進などを行うものとされた。科学技術庁の設置にともなって科学技術行政協議会は廃止され科学技術審議会が置かれた。同会には所得倍増計画に対応した「十年後を目標とする科学技術振興の総合的基本方針」が諮問され、理工系人材の養成を量的に拡大すること、先進諸国と対等に交流・協力できる水準をめざして科学技術関係費をGNPの2%とすることなどが答申された。「しかし科学技術基本法案は1968年国会では成立しなかったため、民間企業からの研究開発投資や通産省の支援体制などが経済成長の牽引役となった1995年に科学技術基本法が成立、科学技術基本計画が策定されるようになった。科学技術庁は廃止され、文部科学省が成立し、科学技術会議は総合科学技術会議に変わった。同会議の議長は内閣総理大臣である。

一方、高等教育においては、旧制高校の廃止、新制大学4年制への一元化の流れに至るのだが、GHQの指導の下で新制東京大学の総長としてその骨格をデザインする役割を担った南原繁は、「近代国家の発展の過程において、やがて国家が大学を完全に自らの「機関」として包摂し、「自己に従属せしめるに至った」「自ら独立の理性の府であるべき大学が「国家の理性」に自らを連続の位置におくに至った」と東京大学創立69年の式典で述べた。(吉見俊哉『大学とは何か』岩波新書)南原は科学が分節し、「人間と世界との全体的統一」が破れ、大学がその名に値する「知識の統一」をついに失うに至ったのである」

とし、「知識の統一」を取り戻すために大学教育への「一般教養」導入の重要性を述べた。「現代の学問が、その新しい科学的発見と技術をば、全体のうちに抱擁し、これに精神的な力を滲透させるのに、いかに無力であるかという事実」を問題にし、原子力については、「われわれがその研究と利用を、学問と人生との全体的秩序のなかに繋ぎ止め得なかったならば、遂に文明の崩壊と全人類の破滅を招かずにはおかぬ」と警告していた。つまり、戦後の新制大学では、産官協同により、科学技術振興による経済発展が志向される中で、欧州のリベラルアーツの理念に基づく、諸科学の総合を人文知が担うようなシステムが希求されていたのだ。

ところが、１９６８年から69年にかけては全国の大学で学生運動が勃発する。吉見によると、「専門知とリベラルアーツの総合についての南原の理想の挫折、戦後大学改革という実験の失敗を象徴的に示していたようにも思われる」となる。吉見の『大学とは何か』によれば、慶應大学、早稲田大学での学費値上げに学生が反対し、全学ストライキに至った。やがて、この動きは、同時多発的に横浜国立大学や中央大、明治大などに飛び火し、日大闘争と東大闘争という紛争で頂点に達していく。日大では、高度成長期に呼応して、理工系中心の高等教育拡大政策が推し進められ、マスプロ教育が行われていた。大学側の巨額な使途不明金問題を発端に、学生たちが反乱した。東大では、医学部卒業生の無給医局員問題より始まり、大学側が医学生に厳しい処分を行ったのに反発し、医学部全共闘が安田講堂を占拠、大学側は機動隊導入を要請した。

マスプロ化する大学で、学生たちの間にはマルクス主義が浸透した。理系の定員は増員される一方で、戦前からの科学技術を担う日本の知識人の顔ぶれは変わらず、南原らが大学をリベラルアーツを担う場にしようと試みた間に、公害企業と科学者たちは癒着し、国内のポジションを確固たるものにしていった。学生運動のバリケードの中で、学生たちが読書会や自主勉強会などを開いていたことは、多数の学生運動経験者が記録に残している。70年代に学生運動が沈静化した後も自主講座は生き残り、東京のような学びの場が広がっていった。横浜国立大学では、自主講座が開かれ、全国の大学にこ大学では工学部助手の宇井純の実施した「公害原論」が有名である。宇井の自主講座は15年間続けられ、公害研究や環境運動の担い手のネットワークが築き上げられていった。宇井の助手就任の1965年に新潟水俣病が発生し、宇井は実名で水俣病告発を開始した。宇井は、従来の科学技術者の多くが公害企業や行政側に立った御用学者の活動をしてきたと批判し、公害被害者の立場に立った視点を提唱し、新潟水俣病の民事訴訟は弁護補佐人として水俣病の解明に尽力するなどの活動を展開した。1970年より、公害の研究・調査結果を市民に直接伝え、また全国の公害問題の報告を現場から聞く場として公開自主講座「公害原論」を夜間に開講した。大学当局にとっては非公認の活動で、聴講生を一般社会人に解放し、講座を運営する学生たちも東大生以外の学生も多く参画していた。

5. 独立行政法人化へ

学園紛争後の1971年、中央教育審議会の答申「今後における学校教育の総合的な拡充整備のための基本的施策について」、いわゆる「四六答申」が出された。この答申では、高等教育の大衆化と学術研究の高度化の矛盾。高等教育の内容における専門化と総合化の矛盾。教育研究の特性と効率的な管理の間の矛盾。大学の自主性と閉鎖性排除の間の矛盾。大学の自主性尊重と国全体としての計画的援助・調節の必要との間の矛盾が挙げられていた。それらに対する改革案として、高等教育の多様化、大学教育を「総合領域型」「専門体系型」「目的専修型」に種別化すること、一般教養と専門教育の形式的区分の廃止、情報技術などの導入、資格認定制度や履修単位の互換、教育組織と研究組織の機能的な分離、博士学位を持つもの対象の研究院設置、マネジメントなど多方に及んだ。84年に中曽根首相が臨時教育審議会を設置、中央教育審議会との分立状態となり、新自由主義的な臨教審が主導して87年に教育改革推進大綱が閣議決定された。翌年、大学審議会が設置され、大学設置基準を大綱化した。多様で特色あるカリキュラムが可能になったため、南原以降の「一般教育」の仕組を残すことが出来なくなった。80年代末以降、国際競争力のある創造的人材を求める産業界の要請に適応しようと、定員増や大学新設の規制緩和を実施、大学全体の質の低下が問題になった。90年代半ばを過ぎると、「大学が学生を選ぶ」時代から「学生が大学を選ぶ」時代への変化が進み、大学院生も増加していった。工学系では、60年代半ばから国立大学で工学系修士課程の拡充が次々となされ、大学院修了者が官民の研究所で先端技術開発の専門家になっていく傾向が一般化していた。65年から88年までに工学系の大学院生数は、4・5倍、博士課程は2・8倍に増えている。74年に大学院設置基準が制定され、学部の上に置かれる大学院だけでなく、特定の学部に基礎を置かない独立研究科や連合大学院、総合大学院などの設置が可能になった。しかし、日本では90年代には既に研究者の供給過剰が懸念されるようになり、ポストドクター等1万人支援計画が始まり、98年「21世紀の大学像と今後の改革方向について」では、大学院の将来規模が30万人規模にまで引き上げられた。

平成11年4月に国立大学の独立行政法人化については、大学の自主性を尊重しつつ大学改革の一環として検討し、平成15年までに結論を得ることが閣議決定された。翌12年7月には、国立大学関係者を含む有識者で構成された調査検討会議が検討を開始し、14年3月に調査検討会議が「新しい『国立大学法人』像について」(最終報告)をとりまとめ、11月に競争的環境の中で世界最高水準の大学を育成するため、「国立大学法人」化などの施策を通じて大学の構造改革を進めることを閣議決定し、15年2月に国立大学法人法案等関係6法案を国会に提出し、7月に国立大学法人法等関係6法が成立し、16年4月に国立大学法人に移行している。

文科省に提出された大学ミッションの再定義のうち、例えば東京大学工学部は、「東京大学においては、世界的な水準での学問研究の牽引力であること、あわせて公正な社会の実現、科学・技術の進歩と文化の創造に貢献する、世界的視野をもった市民的エリートが育つ場であることを目指して、教育研究等に取り組んでおり、以下の強みや特色、社会的な役割を有している」とし、世界水準の研究を実施するとともに、「優れた研究成果を早期に社会に還元できるよう、産業界との双方向的なプラットフォームを設置しつつ、産学連携活動を推進し、受託研究・共同研究の受け入れや特許取得数において高い実績を挙げている。今後とも我が国の産業を支える実践的な研究等の取組を一層推進する」と産学連携を柱にすることが述べられている。

文科省の『国立大学改革プラン』[28]（平成25年11月）によると、国立大学法人がスタートしたことで、自律的、自主的な環境の下での国立大学活性化、優れた教育や特色ある研究に向けてより積極的な取組を推進、より個性豊かな魅力ある国立大学を実現などの意義があったものとしている。文部科学省は平成16～21年度を第一期中期目標期間とし、新たな法人制度の「始動期」と位置づけ、平成22～27年度を第二期中期目標期間とし、法人化の長所を生かした改革を本格化し、改革を加速化し、国立大学改革プランとしてミッションを再定義し、自主的・自律的な改善・発展を促す仕組みの構築を行う、平成28年度以降を第三期中期目標期間とし、持続的な〝競争力〟を持ち、高い付加価値を生み出す国立大学を作るとしている。文部科学省によると、法人化前の国立大学では、国の行政組織としての制度（予算・人事等）が適用され、教育研究の柔軟な展開に制約があったとする。国立大学法人化後は、予算等に関する国の諸規制の緩和、非公務員型の人事制度等により裁量を拡大することができ

28　文科省ホームページに詳しい。http://www.mext.go.jp/a_menu/koutou/houjin/1341970.htm（2015・10・10）

た上、役員や経営協議会委員、学長選考の委員として学外者の経営参画を法定化し、法人の経営に参画、中期目標（大学側の意見に配慮）に基づき、学長を中心に法人運営学外の知見の活用と国の行政組織としての諸規制の緩和により、例えば民間企業等との共同研究が増加するなどの成果が上がっているとしている。共同研究費は、平成15年度６４１１件で１２５・6億円だったのに対し、平成23年度１２７９３件２６５・2億円（2・1倍）となっている。特許実施料収入は、平成15年度４・28億円で、平成23年度８・８５億円（2・1倍）となっている。

国公立大学を取り巻く社会経済状況の変化として、同省は、グローバル化・少子高齢化の進展。新興国の台頭などによる競争激化を挙げ、第三期に目指す国立大学の在り方として、各大学の強み・特色を最大限に生かし、自ら改善・発展する仕組みを構築することにより、持続的な「競争力」を持ち、高い付加価値を生み出す国立大学へ変わっていく必要があるとしている。世界最高の教育研究の展開拠点として、優秀な教員が競い合い人材育成を行う世界トップレベルの教育研究拠点の形成、大学を拠点とした最先端の研究成果の実用化によるイノベーションの創出。全国的な教育研究拠点として、大学や学部の枠を越えた連携による日本トップの研究拠点の形成、世界に開かれた教育拠点の形成、アジアをリードする技術者養成を挙げている。また、地域活性化の中核的拠点として、地域のニーズに応じた人材育成拠点の形成、地域社会のシンクタンクとして様々な課題を解決する地域活性化機関。機能強化を実現するための方策として、自主各大学の機能強化の自律的な改善・発展を促す仕組みの構築を挙げている。また、同省は大学発ベンチャーの起業前段階から政府資金と民間の事業化ノウハウ等を組み合わせることにより、リスクは高いがポテンシャルの高いシーズに関して、事業戦略・知財戦略を構築し、市場や出口を見据えて事業家を目指す「大学発新産業創出拠点プロジェクト」を新たに開設している。

しかし、独立行政法人化に関しては批判も多く、国立大学の経営費にあたる一般運営費交付金を年々1%ずつ削減し、削減分を特別運営費交付金や各種補助金事業に移して概算要求事項著して文科省に個別申請させていることなどを問題視する意見もある。COEやGP、COCなどの目標を明らかにした補助金や事業費項目を設定して応募させ、文科省の意にかなうプロジェクトを優先させている。池内了の『科学のこれまで　科学のこれから』（岩波ブックレット）によると、「86ある国公立大を研究大学・高度教養大学・地域密着大学・職業人養成大学などへ差別化を図り、それぞれに補助金獲得を競わせようとしているのだろう。大学の忠誠度が測れるし、それをテコにしていっそう大学行政に介入できるためだ」「その背景には、教育再生会議や各種審議会において、産業界からの代表者が国立大学をもっと開放させ、産業界からの要望に積極的に協力するよう圧力をかけていることがある。その合言葉はイノベーション（COI）・グローバリズム・国際化・産官学融合であり、常に大学改革が不十分であると脅して大学の教育・研究を産業界に従属させようというわけだ」としている。

21世COEプログラムとは「大学の構想改革の方針」に（平成13年6月）基づき、平成14年度から同省の事業として設置されたもので、文科省によると「わが国の大学が、世界トップレベルの大学と伍して教育及び研究活動を行っていくためには、第三者評価に基づく競争原理により競争環境を一層醸成し、国公私を通じた大学間の競い合いがより活発に行われることが重要とし、同プログラムで日本の大学に世界最高水準の研究教育拠点を形成し、研究水準の向上と世界をリードする創造的な人材育成を図るため、重点的な支援を行うことを通じて、国際競争力のある個性輝く大学づくりを推進することを目的とする」としている。

文科省の「「地（知）の拠点整備事業」について」によると、急激な少子高齢化の進行、人口減少、生産年齢人口減少、経済規模の縮小や財政状況の悪化、グローバル化によるボーダレス化、新興国の台頭による国際競争の激化、地球規模で解決を要する問題の増加、地方の過疎化・都市の過密化の進行、社会的・経済的格差の拡大の懸念、産業構造、就業構造の変化、地域におけるケアサービス（医療・介護・保育等）の拡大により、大学に求められる役割が変容しているとする。目指すべき新しい大学像として、学生がしっかり学び、自らの人生と社会の未来を主体的に切り拓く能力を培う大学、グローバル化の中で世界的な存在感を発揮する大学、世界的な研究成果やイノベーションを創出する大学、地域再生の核となる大学、生涯学習の拠点となる大学、社会の知的基盤としての役割を果たす大学像が浮かび上がるという。そのような大学の機能をCOC（center of community）と命名している。「地（知）の拠点整備事業」〈「地（知）の拠点整備事業」の目標〉とは、全学的に地域を志向した教育・研究・社会貢献を進める大学を支援するもので、①地域の課題（ニーズ）と大学の資源（シーズ）のマッチングにより、地域と大学が必要と考える取組を全学的に実施。具体的には、子供の学び支援、高齢者・社会人学び直し、商店街活性化等、地域課題解決の研究実施、研究成果還元、技術指導等、地域が求める人材を育成等などであり、教育カリキュラム・教育組織の改革は必須で取組は地域の課題・大学の資源により異なるとしている。また、②全学的な取組の明確化として、・地域を志向した大学であることを明確に宣言・大学のガバナンスの改革を実施し、地域の声を受け止める体制を整備を挙げている。③大学と自治体が組織的・実質的に協力とし、・協定の締結や対話の場の設定、・自治体からの支援（財政支援、土地貸与、人員派遣等）を例示している。これらの点で、学長のリーダーシップの下、大学のガバナンス改革を推進し、各大学の強みを活かした大学の機能別分化を推進することで、地域再生・活性化の核となる大学の形成社会貢献に資するとしている。

おおまかに、独立行政法人化移行の国立大学等に関する制度的変遷を見てきたが、大きな波としては、国の財政状況が悪化する中で、新自由主義的な財政削減の動きが活発になり、国立大学の民営化が図られたということだろう。その際には、産業界からの要請がダイレクトに大学に届く仕組み、文科省がコントロールしやすい予算の仕組みなどを制度的に構築していった経緯とも言えるだろう。後述するが、大学教員の身分が不安定になるに応じて、大学の独立性は損なわれたといえる。産官学の連携は官学が制度的に切り離された現在にあって、具体的な研究レベルで強化された。国立大学の助手が大学当局に逆らって自主的な市民講座を開設するなどということは、現在では困難だろう。グローバリズムも、グローバルな産学連携を目指しているだけであり、欧米のグローバリズムには、植民地支配の反省を込めた開発援助などの研究領域がしっかりと位置づいているが、そのようなグローバルな研究志向には見えない。さらに、COC＋については、地域活性化政策を担う自治体、人材を受け入れる地域の企業や地域活性化を目的に活動するNPOや民間団体等と協働して、地方を担う人材育成に取り組み、大学がCOC推進コーディネーターの活用等により、地方創生を推進・拡大する取組を支援するとなっており、事業協働地域における雇用創出、事業協働地域への就職率向上を図り、若年層人口の東京一極集中の解消を目的としている。

6．システム間のコミュニケーションとしての大学教育

私は、科学情報過程として、社会システム論を援用し、システム間のコミュニケーションとして科学知に関する情報過程を考えようとしている。1で見てきた西欧の大学ではどのような科学情報過程が成立していたかについて考察してみると、EUという制度が各国の法・政治システムを超えたレベルに存在しており、そのEUはEU市民によって構成されるという制度の枠組みが存在している。科学というものが、西欧社会にとっては後発的な知であり、また経済というものも西欧社会にとっては後発的な存在であり、宗教に代わり法・政治システム、エリート集団に代わり市民社会が大学の土台

を形成する根幹的な存在となったことが影響している。ノーベル賞などは、西欧的な価値観が強く現れている賞であると思われるが、政治・経済・文化・医学・科学などの先駆的研究を評価する知識人というものが、機能していることへの信頼に基づくように思われる。ドイツにおける原子力発電の廃止なども、原子力発電という科学技術は国民の議会での討論と投票を持って廃止できるものという理解であり、法・政治システムを市民社会が使い、科学知をコントロールするシステム間のコミュニケーションをドイツ人は行使している。アメリカでも、ハーバード大の教養課程におけるコア・カリキュラム制度は改革されたものの、そのリベラルアーツ重視は世界の大学の範となってきた。

それでは、2で見てきた日本の大学ではどのような科学情報過程が成立していたのだろうか。明治維新以降の、殖産興業のための大学及び専門学校の設置は、明らかに官学連携の最たるものである。そして官学は、産業界の育成のために西欧の進んだ科学知を輸入して活用していった。そして、産業界に多くの工学部出身者が輩出されていったが、明治という国家をコントロールしていたのは帝国大学法学部出身者であった。そのため、科学技術者たちの地位向上は、国策としての軍事国家化と連携し、戦後までつながる様々な学会や協議会などを形成していくことと一体となっていた。産官学の連携が、軍需産業として強く結びついていったということで、そのことの批判は殆ど存在しなかった。その際に形成されたネットワークは、戦後の高度経済成長へと至る、日本の産業政策に繋がっていた。

3で見てきた戦後における、科学情報過程に関しては、まずはGHQによる敗戦国への懲罰的な研究禁止措置があり、航空産業や原子力、レーダーなど軍需産業に繋がるものは、研究を禁止されていた。講和後は、直にこれらの産業には元戦犯であった正力松太郎などが就任し、コングロマリットを作り上げていき、僅かに産官学の連携への批判としては、学生運動や公害問題への大学助手の公開講座があるに過ぎなかった。しかし、学生と共に運動をした大学教員や後に大学教員となった学生たち、多くの市民がネットワークを形成し、原子力発電一つにしても全国に緩やかな形の反原発のネットワークが存在している。現在、行われている環境教育なども地域の環境問題に係る人々との連携を強く持っており、明らかに地域における環境情報のネットワークが成立している。現在の環境教育とされているものの多くには、経済システムや法・政治システムと市民社会のコミュニケーションの伝授の視点が抜け落ちている観があるが、4のCOCなどともリンクし、市民社会でのコミュニケーションを加速する可能性があると思われる。

そして、4の独立行政法人化以降であるが、再び産官学の連携、産学の連携、産軍官学の連携が積極的に論じられるようになった。それらは、自由主義経済社会にある限り、システム間のコミュニケーション過程として、存在するものであると思われる。しかし、西欧でEU市民が専門知を上回る価値として提示されたり、欧米の大学で理系の学生がリベラルアーツを学んだりすることを通し、科学知は制度的にコントロールできるものであることが実践されているのと異なり、日本では科学知のあり方を市民が問うこと自体が必要性をもって訴えられたことが少ないように思う。公害の時代、環境問題の時代を経て、科学知と経済システム間のコミュニケーションのみが活発であれば、その変化を被ることになる市民社会や法・政治システムはどう関与できるのか、どう参加すべきなのかという視点で問うことが重要になると思われる。藤垣裕子『専門知と公共性―科学技術社会論の構築へ向けて』に重要な科学と公共性の提案がある。学者と市民という枠組みであり、科学者の専門知が市民にどうアクセス可能なものになるのかという観点は重要である。しかし、そこには政治や経済やメディアが脱落している問題点がある。特に経済システムと専門知の癒合については、何らかの検討が必要なのではないだろうか。

現在、多くの大学の理学部にはサイエンスカフェというイベントがあり、大学の先生方の研究が市民に分かりやすくなるようにお茶を飲みながらコミュニケーションを図っている。また、サイエンスコミュニケーター養成という事業を行っている大学や機関もあり、科学者と市民をつなぐ役割を果たす専門家を育てようとしている。また、このような大学と大学外のコミュニケーションだけではなく、学内のコミュニケーションの改善も試みられている。大学の教職員が学生へしっかりと知を伝達できるのかという観点からＦＤという考え方が導入され、学生が教員を評価し、その評価をもとに講義の水準を上げていくような学内のコミュニケーションがクローズアップされるようになっており、これは専門知の代表である大学内での専門家と専門知の担い手となる学生のコミュニケーションは改善されつつあるということもできる。

科学知をめぐる社会システムのモデルにより、日本社会のシステム間のコミュニケーションを概観したい。日本社会において、科学知と経済システムは戦前から殖産興業の掛け声のもとで密接に結びつき、産業構造の近代化を成し遂げてきた。戦後においても、復興の名のもとで、製造業中心の経済構造を生み出し、公害などの弊害を起こしながらも、この国を豊かにしてきた。図1における科学知と経済システムのAのコミュニケーションは、しばしば政治・法システムのBのコミュニケーションに支えられ護送船団方式などと呼ばれながら、円滑に働いてきた。対して、科学知を政治・法システムが制御したのは、公害対策の裁判や立法、環境対策の立法措置など、60年代以降のことだった。産官学の癒着との批判の中で、全国で公害が相次ぎ、深刻な被害が生じた。科学知は市民社会とDのコミュニケーションを通して、ネガティブに作用した。市民社会は政治・法システムと科学知とのコミュニケーションにより、科学知と経済システムを制御しようとした。その原動力になったのは、公害闘争や市民運動などで発言力を強めた市民社会だった。文化システムの担い手でもあるマスメディアは、その流れを加速させた。マスコミは反公害キャンペーンを張り、政治・法システムと経済システムのコミュニケーションである法規制などで、工場からの煤煙や排水、自動車の排気ガス中の有害物質の除去装置など公害防止の技術開発が促進され、教育に関しても、公害教育・環境教育は一定の効果を生んだ。地球環境問題がクローズアップされてからは、教育・文化システムと科学知のCのコミュニケーションは加速した。しかし、それ以外の科学が社会にもたらすインパクトに関しては、市民社会と専門知とのコミュニケーションは円滑とは言い難い。教育・文化システムも広範な専門的な科学知を反映した科学リテラシーを国民に提供していない。さらに、大学に眠る知財を経済界は活用してイノベーションを図りたいと考えており、法制度もその方向に動いており、再び市民社会を無視した産学協同が推し進められようとしている。

私は、大学特に総合大学は、法学部や文学部、経済学部を持ち、理学部や工学部や農学部、医学部などを持つ以上、市民社会の構成員、すなわち市民が、科学技術文明の中でどう日本なら日本が道を誤らないのかを判断できるよう基本的な知識と制度的保障を「科学リテラシー」として学生や地域住民に教える機会を作るべきだと考えている。文部科学省のＣＯＣも、そのような方向性を付与すべきであると考える。大学の研究予算や補助金も、地域住民の意向も反映させたものにすべきではないのだろうか。大学における科学知を閉鎖的な空間に留めて置く方向にはもはや時代は進まない。より、コミュニケーションを促進する方向で、市民社会に専門知が開かれていく中で、産官学に限られたのではなく、文化・教育システム、法・政治システムとのコミュニケーションも活性化させ、そのことによって市民社会の自律が向上するような制度設計を提案したい。

文科省が２０１５年６月27日に全国の国立大学に対して人文社会科学や教員養成の学部・大学院の規模縮小や統廃合などを要請する通知を示したが、全大学生、特に理科系の学生に対するリベラル・アーツ教育なくして、科学が社会のあり方を大きく左右するような時代にあっては、健全な社会は維持できない。このような動きに抵抗するような、流れをまずは生み出す必要があるのではないか。

科学知を担う専門性が、どのような情報過程の中に置かれているかを概観してきた。グローバリズムの中で世界に大学を開いていく必要性が増しているが、産学間の協同だけでなく、地域に専門知が貢献することが求められるようになってきている。この章では、科学情報過程論で、情報の流れとして専門知を捕らえていくことの必要性が示されたと思われる。

第三章　ＤＮＡ情報は誰のものか

1．はじめに

この章では、科学情報の中でも、最も公共性の高い情報の一つであるＤＮＡ情報について、その解析と社会的な位置づけの分析と問題点を指摘し、ＤＮＡ情報を社会的共通資産として捉えるとともに、科学情報過程論の立場から、どのように利用に関するコンセンサスを社会が形成し、科学知の応用に何らかの制御の方法を形成していくのか、その方向性について考察していきたい。

物理学や化学、生物学など、多くの科学者たちが自然を解明してきた。その知には当初は特許などもなく、利用は比較的自由だった。そのおかげで、産業革命も普及し、自動車や船舶、機関車なども作られ、石油化学製品や金属加工も自由に行われ、家電製品や日用品も作られ、電磁気や放射線も利用され、航空機やロケットも生み出されたと言っても大げさではないだろう。そのような科学知の一つであるＤＮＡ情報について、その利用のされ方が議論されている。ＤＮＡは、生命の設計図であり、これを組み替えることにより生命操作が可能になることで、従来の科学知を超えた社会的なインパクトを持ち、深刻な問題が生じている。このような技術はゲノム編集と呼ばれ、社会に浸透しつつある。まずは、その経緯を辿りたい。

2．生物学の科学革命

自然科学は西洋での成立当初、神が作った世界を読み解く行為であると考えられていた。物理学も生物学もしかり。物理学では、太陽が地球の回りを回っている天動説から、地球が太陽の回りを回っているとする地動説への科学的世界観の革新を、科学史科学哲学者のトーマス・クーンは科学革命[29]と命名した。生物学においては、遺伝子操作がこの科学革命に当たるという指摘もある。[30]生物学では、生命の根源は何かという問いが立てられ、細胞がロバート・フックによって発見された。あらゆる動植物が細胞を持つことから、細胞が生命の根幹をなすと考えるようになった。これを細胞説[31]という。顕微鏡の発明が、細胞の観察を容易にした。やがて、顕微鏡の精度が上がると細胞小器官が観察されるようになり、細胞が持つ核の中にある染色体が観察されるようになった。

生命現象の謎に迫るために、科学者たちは遺伝子という存在を仮説とするようになった。遺伝という現象はメンデルの遺伝の法則で知られている。オーストリアの司祭であったメンデルがエンドウの交配実験により解明したのが端緒である。やがてミーシャーにより染色体を構成しているＤＮＡという安定的な物質が発見されると、タンパク質かＤＮＡのどちらかが遺伝子の本体という考え方が主流となった。グリフィスとアベリーの肺炎双球菌の実験、ハーシーとチェイスによるバクテリオファージの実験などにより、遺伝子の本体はタンパク質でなくＤＮＡであることが解明された。ＤＮＡの構

29　トーマス・クーンは、ある時代の科学観をパラダイムと置き、このパラダイムが変革して新しい科学観に変わることを科学革命と命名した。
30　米本昌平『バイオポリティックス　人体を管理するとはどういうことか』中公新書２００６年Ｐ40～Ｐ90。
31　動物細胞をシュワンが、植物細胞をシュライデンが観察し、フィルヒョーが細胞説を完成させた。

造は、二重螺旋構造であると、ワトソンとクリックがモデルを発表し、ノーベル賞を受賞した。ここまでは、従来の生物学の自然を読み解く研究であった。

二重らせん構造の発見後は、DNA上にある遺伝子の物質的な側面からの研究が発展し、分子生物学とよばれる研究分野が開拓された。遺伝子の機能の解析は生物学のほとんどの分野と関係がある。特にグリフィスが発見した形質転換は生物の遺伝子を人為的に操作する方法へと道を開き、遺伝子工学へと発展していった。神が創った世界を読み解くことから、生命の設計図であるDNAを使って生命の形質を操作することが可能になった。例えば、ヒトのホルモンであるインスリンの遺伝子を大腸菌に組み込み、ヒトインスリンを合成させることができる。植物では、農薬耐性を持たせる遺伝子をトウモロコシに組み込み、害虫の被害が少なく収量が上がる遺伝子改良作物を生み出すことにもつながる。

3. DNAの発見とヒトゲノム解析プロジェクト

当初生物学者たちは、交配を用いて染色体上の遺伝子の位置を確認する研究法を用いていた。組み換え価という指標を用いた三点交雑法である。モーガンはこの方法で、ショウジョウバエの遺伝子地図を作ることに成功した。これは、染色体レベルの研究である。しかし、研究が進みDNAがアデニン、チミン、シトシン、グアニンの4塩基によって書かれていることが解明され、塩基3つが一つのアミノ酸を意味し、この遺伝暗号を翻訳することでタンパク質が合成されていることが判明すると、科学者たちは生命の設計図であるＤＮＡ配列を読み取る作業を開始した。清水信義『ヒトゲノム＝生命の設計図を読む』（岩波書店）[32]によると、当初は、性能の悪い実験器具で、小さな遺伝子を読むのが精一杯で、一つの遺伝子を解明するのに莫大な時間と労力が必要だったという。最初に読まれたのはバクテリオファージの遺伝子だった。しかし、次第にＤＮＡを読み取る作業を高速で自動化する装置が開発され始める。そして、様々な遺伝子を読み取る個別の研究が進む中、国際的なプロジェクトとして華々しく登場したのがヒトゲノム計画[33]（Human Genome Project）であった。ゲノムとは、生物の遺伝情報を完全にカバーする一群の遺伝子のことを指す。

プロジェクトは、各国のゲノムセンターや大学などによる国際ヒトゲノム配列コンソーシアム[34]によって組織された。１９９０年に米国のエネルギー省と厚生省によって30億ドルの予算で発足し、15年間での読み取り完了が計画されていた。発足後、プロジェクトは国際的協力の拡大と、ゲノム科学の進歩及びコンピュータ関連技術の進歩により、ゲノムの概略図であるドラフトを２０００年に完成した。２０００年6月26日、ビル・クリントン米国大統領とトニー・ブレア英国首相によってヒトゲ

32　清水信義『ヒトゲノム＝生命の設計図を読む』岩波書店２００１年P57～69。
33　ヒトゲノム計画とは、ヒトのゲノムの全塩基配列を解析するプロジェクトであり、アメリカ、イギリス、フランス、ドイツ、日本などの国際的な協力体制で行われた科学研究。
34　INTERNATIONAL HUMAN GENOME SEQUENCING CONSORTIUM

ノム計画の終了が発表された。このヒトゲノムの情報は、国際的に誰でも利用することができる、世界的な共有財産になっている。しかし、世界的な共有財産にするには難しい問題があった。その一つは、セレラ・ジェノミクス社がヒトゲノムプロジェクトを商業利用しようとしたことである。この企業はショットガン・シークエンシング法という新しい方式でシークエンシング[35]を行い、新たに発見された遺伝子を特許化しようとした。これは公的資金によって進められているヒトゲノムプロジェクトの理念と対立し、調整を図る為にバミューダで会議が開かれた。会議の結果として、作成されたデータは全て公開し、全ての研究者が自由に利用できるようにするという項目を含む、バミューダ原則（１９９６年２月）が合意された。ヒトゲノムプロジェクトのほかにも国際ゲノムプロジェクトは数多くあり、マウスやショウジョウバエ、線虫、微生物や寄生虫などの配列解析は科学の発展に重要な役割を果たすと考えられている。

４．植物のバイオテクノロジーと遺伝子組み換え作物

遺伝子組み換え技術の応用は、当初植物から始まった。まず、ＤＮＡを特定の場所で切断する制限酵素と、ＤＮＡ断片をつなぐ酵素であるリガーゼが開発された。ウイルスを運び屋のベクターとして

35　ＤＮＡを構成するヌクレオチドの結合順序（塩基配列）を決定すること。

使用し、植物が持っている環形ＤＮＡであるプラスミド[36]に組み込んだ。この方法により、例えば細菌が持っている農薬耐性遺伝子を、トウモロコシなどに導入し、特定の農薬に耐性のあるトウモロコシを作ることができるようになった。

従来の育種学では、長い時間をかけて交配を繰り返して新品種を作り出してきたが、放射線照射などの処理で胚の染色体に突然変異を起こし、有用な形質を持つ個体を選抜する作業を重ねるという手順で行われていた。ＤＮＡを損傷させることによって生じる、放射線照射による突然変異では、有用な変異が起きる確率も低く、どんな変種が得られるかは予測不能であった。

遺伝子組み換え技術では、得たい形質を発現させるＤＮＡを組み込める上、そのＤＮＡは植物以外の生物でも構わないために、大きく育種の世界を広げることになった。遺伝子組換え作物の作製には、効率化や安全性向上のために様々な手法が取り入れられた。また、アメリカ合衆国では研究の進展とともに厳しいガイドラインが設けられ、ＧＭＯ（遺伝子組み換え作物）が今日まで規制される基礎となった。

遺伝子組み換え作物では、除草剤耐性、病害虫耐性、貯蔵性増大、などの生産者や流通業者にとっての利点を重視した作物の開発が先行、このようなものを、第一世代遺伝子組換え食品とよぶ。栄養価を高めたり、有害物質を減少させたり、医薬品として利用できたりするなど、消費者にとっての直

36　細胞中で核のＤＮＡとは独立に複製、分離する小型ＤＮＡの総称。管状の分子が多いが、線状のものも知られており、遺伝子組み換えではベクターとして多用される。

接的な利益を重視した遺伝子組換えで作られた作物を第二世代組換え食品という。ＩＳＡＡＡ[37]の調査によると、遺伝子組換え作物の栽培国と作付面積は年々増加し、２０１３年現在、全世界の大豆の作付面積の79％、トウモロコシの32％、ワタの70％、カノーラの24％がＧＭ作物である。

また、モンサント[38]などの種子メーカーが、自社の種子に、自社の農薬への耐性遺伝子を組み込むなど、世界の穀物作付けに大きな影響を与えており、そのような販売戦略を危険視する市民もいる。モンサントは世界の穀物の野生種の種子バンクを所有しており、病虫害が出た場合にそれに耐性のある野生種の遺伝子を独占している。人類の将来を左右する遺伝資源の一企業の独占を批判する声もある。遺伝子組み換え作物に関しては様々な問題点が指摘されている。第一には、生態系への影響、食品としての安全性などである。単一の作物や品種を大規模に栽培することが、病害などへの危機管理から危険なのではないかという批判や、自然界に存在しなかった遺伝子が、自然界の種との交配により、周囲の生態系を汚染するという批判もある。何十億年も前に、進化の過程で分かれた細菌類と植物のＤＮＡをつなぎ合わせること自体、危険だと感じる市民も多く、アメリカでは、遺伝子組み換え作物を原料にした食品のことを、フランケンフードと呼ぶこともある。自然界に存在しなかったタンパク質などの合成により食品としての安全性を損い、免疫系の疾患を引き起こしているという主張がある。

37 The International Service for the Acquisition of Agri-biotech Applications
38 マリー＝モニク・ロバン『モンサント』作品社、２０１５年Ｐ２０４〜２３３、Ｐ３７２〜４７８。

遺伝子組み換え作物は、世界規模の生態系に対する実験であるとも言える。このような行為を、人類は望んでいるのだろうか。短期的には収量も上がり、企業の売り上げは伸びるが、長い目で見て自分たちは何をしているのか問い直す時が来たときには、遅いということにもなりかねない。

5. 科学者の遺伝子操作の自主規制

１９７５年、遺伝子を使った研究が進む中、28か国から参加した科学者たちは自主的に遺伝子組換えに関するガイドラインを策定した。この会議は、アメリカ合衆国カリフォルニア州アシロマにおいて開催されたことからアシロマ会議[39]と呼ばれている。科学者自らが研究の自由を束縛してまで、ガイドラインが必要だと考えていたことが分かる。分子生物学は爆発的な成長を遂げ、特定の部位でDNAを切り取る、形質転換など遺伝子組み換えの基礎となる技術が樹立され、大腸菌を用いた発ガン性ウイルスの研究などが着手されつつあった。科学者の中には、この新技術に重大な危険性があることを指摘する者もいた。例えば大腸菌のように人の体内で生育する細菌が新たな病原性を獲得した場合、それらは容易に広まりうる可能性をもっている。またこの技術は細菌兵器などに容易に応用されうる。生物によるこのような災害をバイオハザードという。当時公害に関する規制は強化されつつあったも

39 遺伝子組換えに関するガイドラインが議論された会議。１９７５年開催。アメリカ合衆国カリフォルニア州アシロマにおいて開催された。

のの、生物実験施設に対する規制はなかった。

この自己規制の取り組みのきっかけは、腫瘍学者のロバート・ポラックが組み換え技術を開発したポール・バークに危険性を指摘したことに始まる。バーグはノーベル賞受賞者のワトソンらなどと連名で、遺伝子組み換えのガイドラインに関する国際会議を行うことを提案した。会議では様々な見解が出されたが、シドニー・ブレナーによって提案された「生物学的封じ込め」[40]によって合意に達した。また各国はこの会議に基づいて「物理学的封じ込め」[41]などのガイドライン制定を行った。日本では「組換えDNA実験指針」が取り決められた。

文部科学省の定めた指針には「組換えDNA技術は、1972年に開発されて以来、生物の仕組みを明らかにする基礎的研究を始め、医薬品や酵素の効率的製造や農作物等の短期間での改良など幅広く用いられており、ライフサイエンスにおける基盤的技術となっている。このため、今後のライフサイエンスの発展を図るためには、組換えDNA技術を用いた研究を適切に推進することが必要とされる。一方、組換えDNA技術は、それまで自然界に存在しなかった新しい遺伝子の組合せを生み出すものであり、開発当初に、十分な安全措置のないままに研究を進めた場合、人間及びその他の生物に

40　遺伝子組換え実験において、万一、組み換え体が実験室外に漏れても、それが自然環境中で生存できないよう、使用する宿主やベクター（運搬体）を限定すること。（ブリタニカ国際大百科事典）

41　遺伝子組み換え実験において、組み換え体が実験室外へ漏出するのを防止するために、実験施設や設備、実施要項を限定すること。（ブリタニカ国際大百科事典）

危険をもたらす可能性がないとは断言できないとの考えが示された。このようなことから、組換えDNA研究の推進に当たっては、その潜在的危険性を最大限に見積もり、これに対処するための万全の予防手段を講じることが重要で、我が国を含む先進諸国において、組換えDNA実験の安全確保のための指針が作成・運用されてきている」としていた。

また、指針は、本文については、指針の適用範囲や定義、封じ込め方法（組換えDNA実験の大半を占める微生物等を扱う実験に係るもの）などが書かれた「総論」と実験区分毎の具体的な実験方法などが書かれた「各論」の二部構成となっている。また、本文のほかに、封じ込めに当たっての詳細な規定等が書かれた「附属資料」、生物の安全度評価分類等をまとめた「別表」が添付されている。指針は、本文については、指針の適用範囲や定義、封じ込め方法（組換えDNA実験の大宗を占める微生物等を扱う実験に係るもの）などが書かれた「総論」と実験区分毎の具体的な実験方法などが書かれた「各論」の二部構成になっている。さらに、指針の参考として、実験の区分ごとに実験の手続きの区分と物理的封じ込めの方法の基準を整理した「表」が示されている。「組換えDNA実験指針」は2004年に廃止となり、2003年11月21日に締結されたカルタヘナ議定書に基づく、国内法である「遺伝子組換え生物等の使用等の規制による生物の多様性の確保に関する法律」[42]が施行されている。基本的には指針を継承し、同法による規制は、大気、水または土壌中への拡散を防止する「第二種使用等」

42　2004年2月18日施行。

と、それを意図しない「第一種使用等」（遺伝子組換え作物の栽培など）に分類された。第一種使用等の事前承認・届出の義務、第二種使用等の安全措置のほか、輸出入の際の情報提供、回収・使用中止命令、違反に対する罰則などを定めた。

カルタヘナ議定書では、その〈目的〉として「遺伝子組換え生物等（ＬＭＯ：Living Modified Organism）の使用による生物多様性への悪影響（ヒト健康への影響を考慮したもの）を防止すること」としている。〈議定書の適用範囲〉では、「生物多様性に悪影響を与える可能性のある全ての遺伝子組換え生物等の国境を越える移動・通過・取扱い・利用について適用する。但し、ヒトのための医薬品の国境を越える移動については適用しない。（第４条・第５条）」とし、〈主な内容〉では、「環境に意図的に導入するＬＭＯの輸出者・輸出国は、輸入国に対して事前通告をする。輸入国はリスク評価を実施し、輸入の可否を決定（ＡＩＡ：Advance Informed Agreement 手続）する。（第７条）」「締約国は、リスク評価により特定されたリスクを規制、管理、制御する制度を確立する。（第16条）」「締約国は、ＬＫＭの拡散防止措置の下での利用について基準策定が可能（基準に従う場合はＡＩＡ手続の対象外）。（第６条）」「締約国は、輸出される遺伝子組換え生物等について、安全な取扱い・包装及び輸送並びに必要な情報を表示した文書の添付を義務づけ。（第18条）」としている。

6. ヒトクローン禁止・動物のクローン成功

動物の体細胞の核を未受精卵に移植する手法による最初のクローンは、1962年にジョン・ガードンによりアフリカツメガエルのオタマジャクシから作られた。脊椎動物の初のクローンが誕生し、注目を集めた。哺乳類で最初のクローンは、1996年にロスリン研究所で作られたクローンヒツジ、ドリーだ。ドリーは平均寿命より早く死亡し、染色体の末端部位のテロメアと呼ばれる構造が同じ年齢の羊より短いことが報告されるなど、クローンについて様々な問題点が提起された。1997年に人間の遺伝子をもったヒツジ、ポリーがロスリン研究所で誕生、ポリーはクローン技術と遺伝子組換え技術を使って成功した初めての例で、人の遺伝子が細胞に組み込まれていた。1998年にアメリカのアドバンスト・セル・テクノロジー社が、人間の細胞のクローン作成に成功したと発表、同年にトランスジェニックウシのはじめてのクローン、ビクトリアが誕生している。アメリカに本拠を持つ宗教団体が、ヒトクローンを作ると宣言するなど、クローン技術がヒトに応用されるのではないかという畏れを、多くの科学者や市民が持つようになった。

様々な規制がヒトクローンについて定められていく。ヒトに関するクローン技術等の規制に関する法律（平成十二年十二月六日法律第百四十六号）によると、第一条では、「この法律は、ヒト又は動物の胚又は生殖細胞を操作する技術のうちクローン技術ほか一定の技術（以下「クローン技術等」という。）が、その用いられ方のいかんによっては特定の人と同一の遺伝子構造を有する人（以下「人クローン個体」という。）若しくは人と動物のいずれであるかが明らかでない個体（以下「交雑個体」という。）を作り出し、又はこれらに類する個体の人為による生成をもたらすおそれがあり、これにより人の尊厳の保持、人の生命及び身体の安全の確保並びに社会秩序の維持（以下「人の尊厳の保持等」という。）に重大な影響を与える可能性があることにかんがみ、クローン技術等のうちクローン技術又は特定融合・集合技術により作成される胚を人又は動物の胎内に移植することを禁止するとともに、クローン技術等による胚の作成、譲受及び輸入を規制し、その他当該胚の適正な取扱いを確保するための措置を講ずることにより、人クローン個体及び交雑個体の生成の防止並びにこれらに類する個体の人為による生成の規制を図り、もって社会及び国民生活と調和のとれた科学技術の発展を期することを目的とする」としている。ヒトクローンの作成は、科学だけでなく、社会・倫理的にも大きな問題を引き起こすことが懸念されている。

7．拡大するＤＮＡ情報の利用

１９８４年にレスター大学の遺伝学者アレック・ジェフリーズが、科学雑誌『ネイチャー』に〝ＤＮＡによって個人を区別できるか否か〟の観点に着目した論文を発表した。ヒトのＤＮＡ型は個性があり不同性があり、終生不変であり、ＤＮＡで個人の特定ができることを示し、ＤＮＡ型鑑定は個人特定の切り札として飛躍的に発展していく。

ＤＮＡ鑑定は犯罪捜査にも利用されている。警察庁によると、[43]警察庁が導入しているＤＮＡ型鑑定・ＤＮＡ型記録検索システムは、主にＳＴＲ検査法と呼ばれる方法で、ＳＴＲと呼ばれる4塩基を基本単位とする繰り返し配列について個人差があることを利用し、個人を識別する検査方法である。現在、日本人で最も出現頻度が高いＤＮＡ型の組合せの場合で、約4兆7千億人に1人という確率で個人識別を行うことが可能となっている。警察では15年から、フラグメントアナライザーと呼ばれる自動分析装置を用いた新たな鑑定法を導入しており、より古く、微細な資料の分析が可能となったほか、検査が自動化されたため、鑑定に要する時間が短縮され、より効果的かつ効率的な鑑定を行うことが可能となった。警察庁では、16年12月から、犯罪現場に被疑者が遺留したと認められる血こん等の資料のＤＮＡ型の記録を登録し、検索する遺留資料ＤＮＡ型情報検索システムの運用を開始した。さらに、17年9月には、遺留ＤＮＡ型記録に加え、犯罪捜査上の必要があって被疑者の身体から採取された資料のＤＮＡ型の記録も登録・検索の対象とするＤＮＡ型記録検索システムの運用を開始し、遺留ＤＮＡ型記録及び被疑者ＤＮＡ型記録のデータベース化を図り、犯罪捜査に活用している。

遺伝子検査とは、細胞を採取してＤＮＡ情報を読み取り、検査を受けた人の病気のかかりやすさ、体質などの遺伝的傾向を知る検査で「ＤＮＡ検査」と呼ぶこともある。ある病気を発症する可能性や

43　https://www.npa.go.jp/hakusyo/h24/honbun/html/o2220000.html(２０１５・11・２)

薬の効き方、太りやすさや痛みの感じやすさなどの体質は人によって異なるが、その違いはＳＮＰ[44]を初めとするＤＮＡ多型によって生じることが判明している。何万、何十万カ所のＳＮＰを一度に調べる技術も発達し、複数の病気の発症リスクや体質の特徴などを推定できる。日本国内にも、多くの遺伝子検査キットが商業化されており、疾病のかかりやすさなど、多くの項目を安価でチェックできるため人気である。このほか、親子関係も簡単に調べられることから、多くの業者が遺伝子検査に参入している。その結果、親子関係が否定されるなど、社会的な問題も生じている。

このような、メリットの一方、アメリカでは、ＤＮＡ情報による差別が生じている。遺伝子検査の結果、疾病に罹るリスクが高かったり、遺伝病の遺伝子を持っていたりした場合に、保険への加入や、雇用の差別が行われるという問題が生じている。そこで、米国の雇用均等に関する法律は、年齢、人種、性別、出身地や宗教などに基づく雇用差別を禁止した連邦法で、監督機関として「「米国雇用機会均等委員会(Equal Employment Opportunity Commission：ＥＥＯＣ)」が設置され、雇用差別を受けた場合、ＥＥＯＣ[45]に訴えることができる。２００８年に、アメリカでは「米国遺伝子情報差別禁止法（Genetic Information Non-Discrimination Act：ＧＩＮＡ)」が連邦レベルで成立した。この法律で、遺伝子情

44　ある生物種集団のゲノム塩基配列中に一塩基が変異した多様性が見られ、その変異が集団内で１％以上の頻度で見られる時、これをＳＮＰ＝一塩基多型（Single Nucleotide Polymorphism）と呼ぶ。
45　http://www.eeoc.gov/(２０１５・11・２)

報に基づく健康保険に関する差別、雇用者による差別が禁止された。

8. ゲノムサイエンスと特許

文部省学術国際局長、文部省大臣官房会計課長通知の「国立大学等の教官等の発明に係る特許等の取扱いについて」によると、国立大学等の教官等の発明に係る特許等については、昭和52年6月17日付け学術審議会答申「大学教員等の発明に係る特許等の取扱いについて」で、基本的な考え方が明らかにされた。昭和53年度以降は、国立大学等の教官等（教官及び研究活動に従事する技術系職員等）の発明（考案を含む）に係る特許（実用新案を含む）については、国立大学等の教官等の発明に係る特許を受ける権利の帰属についての基準を以下のように定めている。

国に帰属する場合は、国立大学等の教官等が、その研究の結果発明を行った場合、当該発明に係る特許を受ける権利は、その発明が次のいずれかに該当する場合は、原則として国が承継するものとするとしている。応用開発を目的とする特定の研究課題の下に、当該発明に係る研究を行うためのものとして特別に国が措置した研究経費（民間等との共同研究及び受託研究等経費のほか、科学研究費補助金を含み、教官当積算校費、奨学寄附金等のような一般的研究経費は除く）を受けて行った研究の結果生じた発明。応用開発を目的とする特定の研究課題の下に、原子炉、核融合設備、加速器等のように国により特別の研究目的のため設置された特殊な大型研究設備（電子計算機等のような汎用的なものは除く）を使用して行った研究の結果生じた発明としている。発明者に特許が帰属する場合としては、国が承継することとした場合を除き、国立大学等の教官等の発明に係る特許を受ける権利は、発明者に帰属する、としている。ただし、発明者が希望するときは、発明者からの譲渡の申出に基づき、国は、当該発明に係る特許を受ける権利を承継することができる、としている。

日米欧の三極特許庁間では、バイオテクノロジー関連出願の審査における運用の調和をめざして、継続的に比較研究を行ってきている。機能が明らかでないDNA断片に特許が付与されると、その後の研究開発、ひいては産業の発展に悪影響を及ぼすとの懸念が、世界の研究者及び産業界が出されていたことから、1998年11月には日本国特許庁の提案により、日米欧三極特許庁長官会合でDNA断片の特許性についての比較研究を行うことが合意された。三庁間で、各庁の審査運用を比較研究してきたところ、その報告書が1999年5月26～28日にオランダ、ハーグで開催された三極特許庁専門家会合において承認され、公表された。特許庁によると、その報告は「（1）機能や特定の断言された有用性の示唆のないDNA断片は、特許が受けられる発明でない。（2）例えば特別の病気の診断薬としての使用等、特別の有用性が開示されたDNA断片は、他に拒絶理由が存在しない限り特許可能な発明である。（3）慣用方法で得られ、機能が知られたタンパク質をコードするDNAと相同性が高いことに基づいて、ある構造遺伝子の一部であると推測されたDNA断片には、特許が付与されない。（4）DNA断片が同じ起源に由来しているというのみでは、発明の単一性の要件を満たしていない。」

という内容である。逆を言えば、このケースに当てはまらないDNA断片には特許性があるということになる。人造ＤＮＡについては、特許がアメリカの裁判所でも認められつつあり、ＤＮＡ情報は誰のものなのかについて、深刻な問題が生じつつあるのが現状だ。

また、アイスランドなど、自国の国民の疾病とＤＮＡ情報を研究者等に提供しているケースもあり、特定の企業と国の提携にどのようなリスクがあるのか危惧されている。従来の疾病と遺伝の研究では、家系図が先祖代々分かるアメリカのアーミッシュやユダヤ人など特定集団のデータが利用されている。そのことが遺伝子差別を生んでいるとの指摘[46]もあり、プライバシー保護の面からも問題となっている。日本にはＤＤＢＪ[47](DNA DATA BANK OF JAPAN)というデータベースがあり、ＣＩＢ－ＤＤＢＪという機関が運営している。現在はまだ医療の現場に遺伝子の情報を配信するという形ではなく、研究者のネットワークとして活用されているが、世界的なネットワークを構築する動きもある。

9．iPS細胞と再生医療の将来

京都大学iＰＳ研究所[48]によると、皮膚などの体細胞に、極少数の因子を導入し、培養することによっ

46 米本昌平『バイオポリティックス』中公新書２００６年Ｐ73～75。
47 http://www.ddbj.nig.ac.jp/index-j.html（２０１５・11・２）
48 https://www.cira.kyoto-u.ac.jp/j/index.html(２０１５・11)

て、様々な組織や臓器の細胞に分化する能力とほぼ無限に増殖する能力をもつ多能性幹細胞に変化するが、この細胞を人工多能性幹細胞（induced pluripotent stem cell：iPS細胞）と呼ぶ。体細胞が多能性幹細胞に変わることを、専門用語でリプログラミングと言い、山中教授のグループが発見した僅かな因子でリプログラミングを起こさせる技術は、再現性が高く比較的容易であり、幹細胞研究におけるブレイクスルーである。細胞のDNAは分化するに従って、使える部分が限られてしまうが、この技術では再びDNA情報が全て利用可能になる。病気やケガで失われた臓器などを再生するための研究は数十年前から研究されており、1981年には、ケンブリッジ大学（イギリス）のマーティン・エバンス卿らが、マウスの胚盤胞からES細胞[49]（embryonic stem cell：胚性幹細胞）を樹立することに成功している。

1998年にウィスコンシン大学（アメリカ）のジェームズ・トムソン教授が、ヒトES細胞の樹立に成功した。ヒトES細胞を使い、あらゆる組織や臓器の細胞を作り出すことにより、難治性疾患に対する細胞移植治療などの再生医療が可能になると期待された。しかし、ES細胞は、不妊治療で使用されず廃棄予定の受精卵を用いるものの、発生初期の胚を破壊して作るため、子になる可能性を持った受精卵を壊すことに抵抗感を持つ人々も多く、ES細胞研究に厳しい規制をかける国も少なくなかった。バチカンなどは、ES細胞を使った研究に反対しており、倫理的な課題をクリアーできなかっ

49　ES細胞は代表的な多能性幹細胞の一つで、あらゆる組織の細胞に分化することができる。

た。また、患者由来のＥＳ細胞を作ることは技術的に困難で、他人のＥＳ細胞から作った組織や臓器の細胞を移植した場合、拒絶反応が起こるという問題もあった。

また、ｉＰＳ細胞では自分の皮膚の細胞から臓器などの組織を作れるために、拒絶反応が起きないことが期待されている。この点に関しては、拒絶反応が生じるという研究も報告されているが、京大ホームページでは、拒絶反応が起きなかった実験例が報告されている。もはや、自分の体細胞の遺伝子を自由に発現させて、好きな臓器の組織を作ることが可能になっている。組織の次は臓器であるが、立体的な臓器の培養も、研究の視程に入ってきている。網膜の培養と移植に関しては既に臨床実験の段階に至っている。

また、ｉＰＳ細胞の研究は、創薬を根底から変革すると言われている。特定の病気を発現する細胞を使い、様々な成分が薬として作用するか否か、大変な速度と規模で実験できるようになったからである。病気を持ったマウスを作り出し、そのマウスに薬になることを期待される化学物質を投与し、病気が改善されたか否かを調べていた従来の研究は、大幅に姿を変えることが予測されている。

10．出生前診断と優生学

従来の出生前診断は、超音波エコーによる検査や羊水検査などであり、羊水検査では、妊婦の子宮に針を刺して羊水を抜き取るために、流産の危険などがあった。しかし、現在では妊婦の血液からかなりの種類の胎児の異常が判断できるようになっており、新型出生前診断と呼ばれている。日経新聞（2014・6・27）によると、「妊婦の血液からダウン症など胎児の染色体異常を調べる新出生前診断について、診断した病院グループは27日、昨年4月の開始からの1年間に7740人が利用し、「陽性」と判定された142人の妊婦のうち、羊水検査などで異常が確定したのは113人だったと発表した。このうち97％にあたる110人が人工妊娠中絶をしていた。」と報じている。母体血中にある胎児由来遺伝子を調べることにより、胎児性別、染色体異常の診断などが可能である。

2011年10月よりアメリカ・シーケノム社が検査受託を開始した検査方法では、妊婦の血液から退治の染色体異常が高精度で診断できる。21トリソミー[50]（ダウン症候群）、18トリソミー、13トリソミーも検査可能である。国内でも複数医療施設による2012年内での検査開始が模索されている。非侵襲的でかつ高精度の出生前診断法であり、優生的な目的への応用が危惧されている。

世界的にも生命倫理の観点からさまざまな議論がなされているが、実際には妊婦からの検査に対するニーズが高いため、高額な検査にもかかわらず広く普及しつつあるのが現状だ。シーケノム社の検査はすでに世界20か国で行われている。さらにアメリカ・ヴェリナタ社が2012年3月から、アメリカ・アリオサ社が2012年6月から検査受託を開始した。日本においては、2013年4月より、日本医師会の認定・登録委員会により認定された施設での検査が始まった。障害者団体からは、出生

50　トリソミーとは、相同染色体が3本細胞内に存在する状態で、奇形などを発祥する染色体異常である。

前診断による中絶は、障害者差別を助長する優生学的な行為だという批判が起きているが、利用する妊婦に対するリテラシーなどもないために、安易に利用しているのが現状である。

11. 科学情報過程論から見たDNA情報の流れと課題

今やDNA情報を自由に活用し、細胞や組織や臓器、クローンまでも作り出せる段階に達している。DNA情報は解読され、特定の病気や体質を発現する遺伝子が特定されている。DNA検査により、病気の診断や胎児の遺伝病の有無までも判定することができるようになっている。そして、このようなDNAの情報は、民間企業が持っている場合が少なくない。

第一章で示した図2でこの論文で指摘したような現象を分析すると、科学知と経済システムのコミュニケーションが、ビジョンなしに進行している現状が見て取れる。

この論文で見てきたように、法・政治システムからのDNA情報の制御に関しては、人工的に作成したDNA情報の特許に関しては認めるという動きが生じている。医療産業は、DNA情報を得て、遺伝子を操作したり幹細胞を使用したり、ヒトクローン作成は禁じ手なものの、その他の研究・応用に関しても法政治システムや市民社会による何らかのコントロールが不能な領域に踏み出しつつある。

文化システムはどうなっているのか概観しておく。日本の高等学校レベルの生物基礎では、DNA情報の転写や翻訳というタンパク質合成のメカニズムまでは教えるものの、社会的なインパクトの大きいＤＮＡ情報の利用に関して、市民社会の側がどう対応していくのかについては、教えていない。生物基礎を履修しない生徒については、ＤＮＡの遺伝情報の発現のメカニズムさえ教えていない。加えて、ＤＮＡ情報が差別に繋がったり、親子関係など社会的な問題を呼び起こしたり、クローン人間などを誰かが作る危険性をどうしたら阻止できるのか、など科学技術社会にどう生きるかについての教育が行われているとは言いがたい。つまり、社会性を持った科学リテラシーというものが、殆ど存在していない。

従って市民社会は、経済システムからの一方的なインパクトに晒されている。産業界は、ＤＮＡを自由に操作するゲノム編集で、次々と新製品や新薬を作り出していくことが予見されるので、一層、市民はＤＮＡ情報の利用に関する監視をしなければならないと思われる。このような状況は、単に科学の知識を分かりやすく解説するだけの現在の科学リテラシーの考え方では、危ういといわざるを得ない。

これだけ環境や人間のあり方にインパクトをもたらすＤＮＡ情報の活用には、市民社会の何らかのコンセンサスが不可欠なのではないだろうか。ＤＮＡ情報は、全ての生物の設計図であり、人類の公共財であると思われる。現状では私企業が研究や開発のためにＤＮＡ情報を利用しており、ヒトクローンの禁止や研究機関の封じ込めなどの、実験の際のリスク管理はあるが、規制は少ない。私企業の研究開発の成果は特許として保護される部分さえある。どのようにＤＮＡを加工しようが、生物同士のＤＮＡを繋ぎ合わせようがゲノム編集は自由である。その結果作られた商品をどう販売しようと自由な経済活動である。それが何億人の食糧になるダイズやトウモロコシであろうとも、規制は存在していない。生殖医療技術が社会のあり方にどれだけのインパクトをもたらそうとも、市民が社会のあり方をデザインできていないのが現状である。

私が提案している科学情報過程論では、市民社会が科学知にアクセスする方向性を探っている。人間社会のあり方を変えるほどインパクトがあるＤＮＡ情報が、科学者と産業界つまり経済システムの間でだけ流通し、市民社会に一方的に提供されているのは、情報の流れからしても不備であると考えられる。市民社会は、一つは文化システムにより社会と科学双方のリテラシーを高める必要があるし、法・政治システムと経済システムのコミュニケーションを通して規制をかけていく、あるいは経済システムと市民社会のコミュニケーションとして情報の開示により企業の社会的評価が高まるシステムを構築する必要性があるだろう。

政治経済学の領域にコモンズという概念がある。村落共同体の共同管理の薪炭林のような存在から、科学知など現在、範囲を広げた考察対象になってきている。ＤＮＡ情報は現在のコモンズのような存在なのかもしれない。人類が共同に利用できる科学知としてＤＮＡ情報は解読されたり、データベース化されたりしている。ＤＮＡ情報という公共性の高い情報の利用について、産業界や警察行政が何の批判もなく活用していくだけではなく、市民社会が適正な利用や説明責任に関して、何らかの意思表示をする必要性があることを、まずは訴えていくことが不可欠であろう。

この章では、DNA情報という公共性の高い科学情報について分析してきた。市民社会が置かれた状況と、産業界の科学情報の野放図な利用に関し、何らかの施策の必要性が高いことが示されたと思われる。

第四章　地球環境問題と科学情報過程論

1. はじめに

市民が科学知にどうアクセスし、方向性の決定に関わるかを探る科学情報過程論の一環として、地球環境問題を取り上げて分析・検討を加える。この章では、国内のシステム間のコミュニケーション過程だけでなく、グローバルなコミュニケーションに関しても分析を加えていきたい。

公害問題から端を発し、多国籍間にまたがる酸性雨の問題と対策、そしてチェルノブイリ原発事故。このような科学技術に起因する問題に、どのように国家や企業、市民は取り組んで行ったか。そしてオゾンホール問題、地球温暖化問題というグローバルな課題にどのように対処しているかについて、情報過程という観点から明らかにする。ＮＧＯやＮＰＯなどグローバルなアクターが登場し、活躍するという新しい潮流がある。市民がグローバルなネットワークを築き、情報を交換し発信し、行動する時代が訪れている。グローバルなＮＧＯやＮＰＯがネットワークを構築しグローバル公共圏を形成する一方で、日本国内では、環境市民がリサイクルや省エネに努めて温暖化対策をするなど、環境問題が非政治化され、生活の問題に矮小化されている。地球環境問題は、極めて政治的な現象である。地球環境問題の情報過程の問題点について概観しつつ、特に日本国内でどのような対策が講じられるべきか、大きく世界を変えた情報化の影響を踏まえて考察したい。

2. 公害の時代

日本の公害史は足尾鉱毒事件からスタートする。『通史・足尾鉱毒事件　１８７７〜１９８４』（世織書房）によると、古くからの鉱山だった足尾銅山は、明治10年に古川市兵衛が経営を始めたが、足尾銅山付近を水源とする渡良瀬川流域で魚の大量死などの異変が見られるようになった。原因が鉱山の排水に含まれる銅の化合物であると知った地域住民は、採掘の中止などを銅山側に要望した。明治24年、栃木県選出の衆議院議員だった田中正造[51]が国会で足尾鉱毒事件について質問した。新聞雑誌の報道もあって足尾鉱毒事件は社会問題となっていった。田中正造の支援もあって農民たちは、国会に請願するなどの政治的な運動を取るようになった。１８９７年、被害地の農民たちの陳情のための上京も報道され、世論が高まると、同年３３月、政府は足尾銅山鉱毒調査委員会を設置し、明治30年に足尾銅山に鉱毒を防止するように命じた。しかし、鉱毒防止が不十分であったため、住民が請願のため上京した際に警官隊と衝突し、田中正造は天皇への直訴を行った。明治40年に、明治政府は谷中村を廃村にし、遊水地にして、問題の終結をはかった。村民は激しく抵抗したが、１９０６年に廃村となった。

51　１８４１年〜１９１３年。日本の政治家。日本初の公害として知られる足尾鉱毒事件を告発した政治家。衆議院議員選挙に当選６回。

田中正造の政治活動や荒畑寒村[52]のジャーナリズム『谷中村滅亡史』[53]（１９０７年のルポルタージュ）は、封建制の時代には考えられなかった力を被害者たちに与えた。また、鉱毒被害という問題が、新聞や雑誌など草創期のジャーナリズムと政治活動を通じて、政府を動かし経済システムの企業を動かすというダイナミズムを生んだ。このような教訓に学ぶことなく、日本のメディアは治安維持法や集会条例、讒謗律などの時代に突入し、戦争協力の体制翼賛の具に堕して行く。戦後の公害問題を深刻にしてしまったのは、戦前・戦中のメディアと政治活動弾圧の暗黒時代の歴史的な影響もある。

戦後の高度経済成長期において、国内の企業は二次産業が増加し、排煙や排水など周辺環境を考慮することなく操業を続け、日本全国が汚染され公害病患者が増加して、マスメディアに「公害列島」[54]などと呼ばれる惨状となった。熊本県水俣市周辺、新潟県阿賀野川流域では有機水銀による水俣病、四日市では大気汚染による四日市ぜんそくが起き、富山県の神通川流域ではカドミウム汚染によるイタイイタイ病が発生した。公害病が発生しない地域の河川や湖沼、瀬戸内海などにも深刻な汚染が及んだ。被害を受けた住民らは、被害の補償を求めて裁判を起こし、60年代後半からの損害賠償訴訟を、「四大

52　社会運動家。堺利彦や幸徳秋水の社会主義論に傾倒して平民社に入る。社会主義伝道行商に加わって田中正造を知り、足尾鉱毒事件を素材に『谷中村滅亡史』を著述（ブリタニカ国際大百科辞典）。
53　『谷中村滅亡史』岩波文庫　１９９９年として現在でも書店で入手可能。
54　１９７０年代に使われるようになった言葉であり、当時は四大公害病などの公害病が多発し、裁判も日本各地で行われていた。

公害訴訟」と呼ぶ。公害問題には、積極的に報道するマスメディアと被害者を支援する野党や弁護団が存在した。加害者＝企業、被害者＝住民という対立構造の中で、市民や法・政治システムの専門家たち、新聞・出版・テレビなどのマスメディアによって被害の深刻さを知った市民たちが、被害者を支援する仕組みが生まれた。

原田正純の『水俣病』（岩波新書）によると、水俣病に関しては、56年にはチッソ付属病院長が原因不明の中枢神経疾患を届け出、熊本大学医学部の研究班が有機水銀説を出し、新聞も報道したにもかかわらず、政府は異論があるとの理由で有機水銀説を68年になるまで認めず被害が拡大した。69年から損害賠償訴訟が起こされ、70年代半ばに入り未認定患者がチッソと国、熊本県を相手に訴訟を全国7箇所の裁判所で起こした。和解勧告が出されたが国が応じなかったが、95年に社会党の村山富一が首相時に国の責任を認め、96年5月に救済対象となった5患者団体全てが解決案を受け入れ訴訟は終結した。これは、法・政治システムの頂点である首相が、政権交代の中で従来の野党であった社会党委員長であったために、可能であった終結ともいえなくはない。また、公害の被害者の支援活動には、学生運動などの経験者が多く携わっており、彼らの草の根のネットワークは日本における公害問題の解決に大きな力となった。

戦前と戦後に起きた公害問題への対応は、鉱毒や工場排出物が人体に有害であることが判明した後、あるいは判明する前から、マスメディアが報道して市民の関心を高め、国会議員や市民などの支援が生じ、裁判や政治などの法的な措置を講じることで、公害を止める手立てを経済主体である企業に講じさせるというものだった。明らかに、科学技術が社会にマイナスのインパクトを与えた際に、メディアと市民社会が法・政治システムとのコミュニケーションによって法・政治システムを機能させ、法・政治システムが経済システムとのコミュニケーションで、企業への排出規制などを行わせるという回路を持っていた。このシステム間のコミュニケーションについては、第一章に詳しい。

3. 公害問題から環境問題へ

１９６２年にアメリカの女性科学者であるレイチェル・カーソンが『沈黙の春』を出版し、ベストセラーになった。ＤＤＴを始めとする農薬などの化学物質の危険性を訴える内容であった。ローマクラブ[55]は、72年に『成長の限界』を出版しベストセラーになった。同書は、限りある資源供給の中での指数関数的な経済成長と人口成長をコンピューターシュミレーションで、世界人口、工業化、汚染、食糧生産、資源消費などの変数について分析し、持続可能な成長の道筋を探ろうとした。人口増加や経済成長を抑制しなければ、地球と人類は、環境汚染、食糧不足などで１００年以内に破滅する危険

55　１９６９年4月世界的な公害問題、人口爆発、軍事的破壊力の脅威などの人類の危機の接近に対し、可能な解決策を追求するため、イタリアのA．ペッチェイを中心に世界各国の科学者，経済学者，経営者などにより設立された民間組織（ブリタニカ国際大百科事典）。

性があるという内容で、地球環境が有限であるという指摘が衝撃的であった。これらは、科学者が出版メディアを通じて、世界に投げかけた警告だった。マスメディアが取り上げ、グローバルな市民社会の世論を喚起した。

60年から75年までベトナム戦争が続き、ベトナム反戦運動が起こった。当時は、ドミノ理論という共産主義の拡大が懸念されており、アメリカはインドシナ半島の共産主義勢力の拡大を阻止するため、ベトナム南部に傀儡政権を樹立、社会主義政権が樹立された北部に対し北爆を開始した。その動きに対し、世界各国で大規模な反戦運動が展開され、75年にアメリカ軍が全面撤退するまで続いた。アメリカでの反戦運動は大学から始まり、60年代の終わりには黒人運動の指導者のキング牧師がデモに参加し、公民権運動とも結びついた。日本でも65年に小田実によりベ平連[56]が組織され、全国的な運動になった。また、反戦運動はヒッピー[57]と呼ばれる若者たちのムーブメントにもつながった。徴兵を拒否し、平和を愛し自由に生きるという思想で、全米で一大ムーブメントが起こった。薬物使用や瞑想を行い、各地にコミューンと呼ばれる共同体が作られた。ミュージシャンの影響もあり世界中へ広まった。

56 哲学者の鶴見俊輔や政治学者の高畠通敏が、小田実を代表として1965年に「ベトナムに平和を！市民文化団体連合」の名で発足させた。ベ平連は略称。

57 既存の社会秩序、体制からドロップアウトする脱社会的な思想や行動に走り、あるいはそういうものを志向する者。1960年代後半、アメリカの若者達の間に生まれ、世界中のいわゆる先進国家に浸透していった（ブリタニカ国際大百科辞典）。

キリスト教的な社会制度を否定し、個人の魂の解放を訴え、カルト宗教も創設されて社会問題化した。文明を否定して自然に回帰する者も現れ、現在の自然保護活動家の中にはこの系統を引く者も少なくない。しかし、戦争の終結と薬物取り締まりにより、１９７０年代前半頃から衰えた。

そして、１９７３年と１９７９年にオイルショックが始まった。原油の供給逼迫および石油価格高騰と、それによる世界の経済の混乱が生じた。石油価格の上昇は、エネルギー源を中東の石油に依存してきた先進工業国の経済を脅かした。これらの現象から、従来の経済成長優先の大量生産大量消費からライフスタイルを変えようという人々が増加した。石油危機や有限な地球という科学的統計による認識、先進国による植民地国への支配、東西対立、そのような社会システムを、生活者である市民社会のシステムを変えることで、変化させようという意識が多くの市民に共有された。市民が政治運動をして政治を動かし、経済システムを変えていこうという時代であった。また、国内では有吉佐和子の長編小説『複合汚染』が朝日新聞に連載され大きな反響を呼び、ベストセラーとなった。タイトルの「複合汚染」とは、複数の汚染物質が混合することで、相乗的な汚染結果があらわれることである。国内でも農薬や多くは石油化学製品である食品添加物、家畜類に投与される抗生物質などへの反感より、有機農業を始めたり、自然食を求めベジタリアンになるなどの動きが生じた。現在のエコムーブメントの発端は、多くはこの時代に求めることができる。世界的に科学技術が可能にした文化・文明を根源的に問い直す機運となった。また、スティーブ・ジョブス[58]のように、この時代にヒッピーだった若者たちがパソコン開発の魁となり、インターネットやWWWなどの世界的ネットワークを可能にする民生技術を生み出した。インターネットの双方向のコミュニケーションは情報過程を完膚なきまでに変革していくことになる。

4. グローバル課題としての酸性雨

グローバルな環境問題の魁となったのは、欧州の酸性雨対策である。酸性雨は、化石燃料などの燃焼で排出される硫黄酸化物や窒素酸化物などが大気中で反応して生じる硫酸や硝酸などを含むpHの低い雨のことをいう。特に北欧で、酸性雨によるとみられる湖沼の酸性化や森林の被害が報告され、国境を越えた問題としてクローズアップされた。石弘之の『酸性雨』（岩波新書）によると、それまでも、他の国からの汚染物質が酸性雨を引き起こしているのではないかという議論はあったが、68年に「酸性雨解明の父」と呼ばれる土壌学者スバンテ・オーデン博士が論文を発表。英国や欧州北部からの酸性雨がスウェーデン、ノルウェー両国に深刻な被害を与えていたことが科学的に論証された。日本でも、環境庁の調査結果では、欧米並みの酸性雨が観測されている。酸性雨による影響は欧米などの先進工業国のほかに、中国、東南アジアなど世界各地で発生している。酸性雨問題では、原因物質が発生源

58　1955年～2011年。アメリカの実業家。アップル社の共同設立者。アメリカ国家技術賞を受賞。

から数千キロ離れた地域に運ばれ降下する。先進国だけでなく、途上国でも工業化の進展により、大気汚染物質の排出量は増加しており、広域的な酸性雨の被害も大きな問題となってきている。地球サミット[59]で採択されたアジェンダ21[60]でも、広域的な取り組みが必要とされたという。

40年代にスウェーデンから降水成分の観測ネットワークがスタートし、57年の国際地球観測年[61]をきっかけに全欧州の観測網へと発展し、69年には経済協力開発機構が継続的観測を決めた。深刻な観測結果を受け、スウェーデン政府が国連に働きかけ、72年のストックホルムの国連人間環境会議[62]となって実現した。当時はまだ冷戦構造が終結していなかったため、75年の全欧州安全保障協力会議で東西の協力の必要性が合意され、欧州経済委員会（ＵＮＥＣＥ）が受け皿になることになった。ヨーロッパ全体が参加している組織がなかったため、１９７９年に欧州経済委員会でジュネーブ条約が打ち出され、１９８３年３月に発効した。この条約では加盟各国に越境大気汚染防止のための政策を求めるとともに、硫黄などの排出防止技術の開発、酸性雨影響の研究の推進、国際協力の実施、酸性雨モニタ

59　環境と開発に関する国際連合会議（ＵＮＣＥＤ）は、１９９２年、国際連合の主催によりブラジルのリオデジャネイロで開催された、環境と開発をテーマとする首脳レベルでの国際会議。
60　アジェンダ21は、地球サミットで採択された21世紀に向け持続可能な開発を実現するために各国および関係国際機関が実行すべき行動計画。
61　１９５７年７月１日から１９５８年12月31日の間の国際科学研究プロジェクト。
62　国際連合人間環境会議は、１９７２年６月５日から16日までスウェーデンのストックホルムで開催された環境問題についての世界初の大規模な政府間の会議。

リングの実施、情報交換の推進、などが規定された。

大気汚染物質の30％削減を求める北欧諸国が先導する形で、国連欧州経済委員会に属する21カ国が１９８５年にヘルシンキ議定書[63]に署名し、１９８７年9月に発効した。この議定書では、各国が１９８０年時点の硫黄の排出量の最低限30％を１９９３年までに削減することを定めている。欧州経済委員会に属する25カ国はソフィア議定書[64]に、１９８８年に署名、１９９１年2月に発効した。この議定書では、１９９４年までに窒素酸化物の排出量を１９８７年時点の排出量に凍結することを定めた。スイスを中心とした西欧12カ国では、１９８９年から10年間で窒素酸化物の排出量を30％削減することを宣言した。石弘之の『酸性雨』によれば、酸性雨対策は東西対立を超えて、共通の課題に旧ソ連を連れ出す格好の機会になったという。

環境庁[65]によれば、東アジア地域では、大気汚染等の深刻な環境問題を抱えつつ経済が急速に発展しており、酸性雨を含む越境大気汚染とそれに伴う人、生態系等への影響が懸念されている。環境省（庁）は、昭和58年度に酸性雨対策調査を開始し、大気、土壌・植生、陸水の各分野で酸性雨モニタリングを実施。東アジア地域でも、国際協調に基づく酸性雨対策を推進していくため、東アジア酸性雨モニ

63　長距離越境大気汚染条約（１９７９）に基づく、硫黄酸化物排出削減に関する議定書。１９８５年採択、１９８７年発効。
64　長距離越境大気汚染条約（１９７９）に基づく、窒素酸化物削減に関する議定書。１９８８年採択、１９９１年発効。
65　環境庁ホームページ http://www.env.go.jp/air/acidrain/（２０１５・１・12）

タリングネットワーク（ＥＡＮＥＴ）を提唱し、平成13年1月から本格稼働を開始した。これまでの酸性雨モニタリングの結果、欧米並の酸性雨が見られること、冬季に日本海側で酸性成分が増加する傾向にあることなどが確認されている。広域的かつ長期的な酸性雨モニタリングを継続的に実施していくため、中・長期的な方向性を示すものとして、平成15年より「酸性雨長期モニタリング計画」を実施してきた。平成21年3月には、平成15～19年度のモニタリング結果を踏まえ、集水域調査の追加、湿性沈着モニタリング地点の見直し等を行うとともに、越境大気汚染問題への関心の高まりを受け、酸性沈着のみならず、オゾンやエアロゾルも対象に越境大気汚染を監視することを明確にするとの観点から、計画の名称を「越境大気汚染・酸性雨長期モニタリング計画」に改めて、これまでモニタリングを実施した。平成20～24年度のモニタリング結果及び微小粒子状物質（ＰＭ2・5）等の大気汚染物質に対する国民の関心の高まりを受け、モニタリング地点の見直し、ＰＭ2・5モニタリングの拡充等の一部改訂を行っている。

欧州の酸性雨対策には、グリーンピースなどのＮＰＯやＮＧＯが参画し、グローバルな協力体制が取られてきた。科学者たちは、観測網をネットワーク化し、深刻な被害を防ぐための情報提供の体制を作った。特に、欧州においては、深刻な被害を被った北欧が中心となり、欧州各国に呼びかけて削減を実現し、グローバルな条約という形で実効性のある対策につなげてきた。科学者による酸性雨の原因調査と被害の測定、政治家による削減の運動、法システムである条約を締結するまでという、原因から対策までの一連の動きが見られたのが特徴である。対して、東アジアの酸性雨対策には、このような国境を超えた市民レベルでの対話が行われているとは言いがたい状態である。

5．チェルノブイリ原発事故と欧州の動き

１９８６年４月26日にソビエト連邦のチェルノブイリ原子力発電所でメルトダウンが起き、爆発した。この事故により放射性降下物は国境を超えて世界中に拡散し、国際原子力事象評価尺度[66]においての最悪のレベル７に分類された。当時、チェルノブイリ原子力発電所にはソ連が独自に設計開発した黒鉛減速沸騰軽水圧力管型原子炉（ＲＢＭＫ）のＲＢＭＫ－１０００型を使用した４つの原子炉が稼働し、４号炉が事故を起こした。処理義務はソ連崩壊後はウクライナが負い、深刻な財政問題となっている。現在もなお、原発から半径30km以内の地域での居住が禁止されるとともに、原発から北東へ向かって約３５０kmの範囲内にはホットスポットと呼ばれる局地的な高濃度汚染地域が点在し、農業や畜産業などが禁止されている。

当初、ソ連政府はこの事故を公表せず、施設周辺住民の避難措置も取られなかったため、住民は高線量の放射性物質を浴び被曝した。しかし、翌４月27日にスウェーデンの原子力発電所でこの事故が原因の放射性物質が検出され、近隣国からも同様の報告があったためスウェーデン当局が調査を開始、

66　国際原子力事象評価尺度とは、原子力事故・故障の評価の尺度。国際原子力機関（ＩＡＥＡ）と経済協力開発機構原子力機関（ＯＥＣＤ／ＮＥＡ）が策定。

ソ連は4月28日に事実を認め、事故が世界中に発覚した。

爆発した4号炉はコンクリートで封じ込め石棺と呼ばれる構造物で覆われた。事故による高濃度の放射性物質汚染でチェルノブイリ周辺は居住が不可能になり、約16万人が移住を余儀なくされた。事故発生から1か月後までに原発から30㎞以内に居住する約11万6000人全てが移住したとソ連によって発表されている。放射性物質による汚染は、現場付近のウクライナだけでなく、ベラルーシやロシアにも広がった。放射能に汚染された食品が輸出されたり、輸入されたりすることに欧州では深刻な懸念が生じ、安全な食糧に対する意識が高まった。

ドイツでは、70年代から原子力への反対運動が盛り上がった。冷戦期に、東側と国境を接するドイツに原爆が投下されグラウンドゼロになりかねないと多くの市民が懸念し、ミランダ・A・シュラーズの『ドイツは脱原発を選んだ』（岩波ブックレット）によれば、10万人規模のデモなどの抗議運動が行われた。79年のスリーマイル島原発事故にチェルノブイリ原発事故はドイツの反原子力グループに大きな力を与え、80年には緑の党が誕生している。83年に緑の党[67]が連邦議会選挙で5%の議席を獲得、チェルノブイリ事故により緑の党の躍進が生じ、エネルギー政策も担当するドイツ環境省も作られた。2000年代には、緑の党は8～9%の議席を獲得、98年から2005年までは緑の党とSPD

67　1970年代から世界各地で台頭してきた新しい社会運動の流れを汲む政治勢力。ドイツの緑の党が有名。環境問題や人権問題など平和で持続可能・社会正義のある新しいエコロジー社会を目指す。

の連立政権だった。ドイツではNGOの影響力が大きく、同書によると、「原子力を推進しているNGOは、ドイツではほとんどない。また、NGOはかなり大規模なものが多く、情報を社会に発信したり、自ら調査活動をしたりするノウハウがあり、そのための資金も能力もあるので、政治的な発言力が強い」という。ドイツのグリーンピースの会員数は、約30万人。市民というアクターが、NGOを組織して科学力を持って環境調査を実施し、政策立案して政治システムを動かしているという構造がドイツの環境政策には見られる。市民社会と、法・政治システムとのコミュニケーション、科学知とのコミュニケーション、そして経済システムへのコミュニケーションがはかられている。市民社会の側が、自ら専門家を組織して調査活動まで実施しているというのが、欧州でも反原発運動が最も盛んなドイツの構造だと思われる。また、71年に結成された国際環境NGOのグリーンピースは、世界中に280万人の個人サポーターが存在。世界40カ以上の国と地域で活動し、国連では総合協議資格が認められていて、総会を含むほとんどの会議にオブザーバーの資格で出席している。日本国内ではチェルノブイリ原発事故後は、市民団体による放射能汚染食品への懸念から、輸入品などの規制が行われたが、原子力政策を転換するまでの動きにはならなかった。

6. エコ企業の登場

ここまでの動きは、市民社会システムが他の社会システムとのコミュニケーションにより環境問題への解決を図っていくというものだったが、オゾンホール問題ではこれまでのコミュニケーションに変化が見られる。汚染源になっている企業が、積極的に対策に乗り出しエコ企業として振舞い始めたからだ。次第に、環境問題への対応がビジネスチャンスであることに企業も気がつき始めた。そのようなスタートラインに、オゾンホール問題への対応は企業を立たせた。フロンは31年、米デュポン社が始めて製品化した科学物質。不燃性で、化学的に安定で、液化しやすく、冷媒として利用された。さらに、油を溶かし、蒸発しやすく、人体に毒性がないため、断熱材やクッションの発泡剤、半導体や精密部品の洗浄剤、スプレーの噴射剤など様々な用途に活用され、60年代以降、先進国を中心に消費されていた。ところが、74年、米カリフォルニア大のローランド教授が、大気中に放出されたフロンは成層圏まで上り、オゾン層を破壊しているというメカニズムを発見した。これを機に国連環境計画も77年からフロンの使用とその排出規制を検討し始めた。

オゾン層が破壊されると紫外線が増加し、皮膚ガンや白内障などを引き起こし、動植物の遺伝子を傷つける危険性がある。また、85年に南極でオゾン量が減少するオゾンホールが発見され、実際にオゾン層が破壊されている証拠が確かめられると、世界中で大問題となった。そこで、オゾン層を破壊しない代替フロンが開発され、普及した。87年9月、「オゾン層を破壊する物質に関するモントリオール議定書」[68]が採択され、特定フロンについては95年までに86年比で生産・消費量ともに50%以下に削

68　通称モントリオール議定書。オゾン層を破壊するおそれのある物質を指定し、それらの製造、消費および貿易を規制することを目的に、１９８７年にカナダで採択された議定書。１９８９年に発効。

減、2000年には全廃すると決めた。アメリカは、当初目標より5年早めて95年に全廃することを表明、これが世界の流れとなり日本も95年末で全廃した。『地球環境問題入門』（日経文庫）によると、国内の企業の動きも早く、セイコーエプソンは93年までに半導体の洗浄などに用いていたフロン全廃を取り決め、冷媒なども脱フロンが進んだ。従来のフロンメーカーも代替フロン開発に全力を投入、世界の化学会社が共同で代替フロンの環境影響や毒性について調査を行った。科学者の警告が、西側先進諸国の政府を動かし、議定書の形で産業界を巻き込んだ削減がスピーディーに実行された。しかし、フロン問題はこれで終わらなかった。代替フロンにも温室効果があることが判明したからだ。92年、地球温暖化を防止するための「気候変動枠組条約」が締結され、具体的な温室効果ガスの排出抑制対策として、「京都議定書」（97年）が採択され、2005年に発効した。国内では、温室効果ガスの6％削減を達成するために必要な措置を定める「京都議定書目標達成計画」を閣議決定した。議定書の対象物質でもある代替フロン等3ガス（HFC、PFC、SFC）は、二酸化炭素の数百倍～数万倍という大きな温室効果をもつことが判明。代替フロン等を用いた製品を使用しつつ、利便性を維持しながら、オゾン層破壊物質の生産等を削減し、代替フロン等も削減しなければならなくなった。フロン対策に関しては、EUでは地球環境問題の一連の動きの中で廃止や代替フロンへの移行が定まっていったが、日本国内では国からの指示で企業が自主的に規制し、代替フロンの開発に向かった。NPOやNGOはフロン全廃に大きな役割を果たさず、市民不在の地球環境問題とエコ企業の連携が始まった。

市民社会は、エコ製品を購入する消費者として位置づけられ、家電リサイクル法などの導入により、景気浮揚策に市民のエコ意識が利用されるという時代が到来したのである。

7. 地球温暖化問題

地球温暖化とは、温室効果ガスが原因で起こる大気や海洋の平均温度が長期的に上昇する現象である。二酸化炭素に温室効果があることは科学者の間では19世紀から知られていた。宇沢弘文の『地球温暖化を考える』（岩波新書）によると、58年からハワイ島のマウナロア観測所で二酸化炭素の大気中濃度の定期観測が始まり、このデータに基づいて温暖化との関係に関する研究も進められ、85年には国連環境計画（UNEP）が温暖化に関する初の国際会議を開催し、「21世紀前半に地球の気温上昇が未曽有の規模で発生する可能性がある」と表明した。二酸化炭素による地球温暖化が破滅的な環境破壊につながるという考えが広まったのは、88年6月に米国航空宇宙局のジェームズ・ハンセン博士が連邦議会の公聴会で「地球温暖化が進んでいる」と証言したのが発端であった。

同年11月には地球温暖化に関する研究を行う国際組織「気候変動に関する政府間パネル」（IPCC）[69]が設立され、12月の国連総会で気候に関する国際条約の検討を始めることになった。92年6月、ブ

69　気候変動に関する政府間パネル（Intergovernmental Panel on Climate Change）は、国際的な専門家でつくる、地球温暖化についての科学研究の収集、整理のための政府間機構。数年おきに発行される「評価報告書」は地球温暖化に関する科学的知見を集約した報告書であり、国際政治および各国の政策に強い影響を与えつつある。

ラジルのリオデジャネイロで国連が開催した地球サミットには、国連史上最多となる約180の国と地域から政府首脳が参加。27原則から成るリオ宣言が採択され、行動計画アジェンダ21の他、森林原則声明、2つの国際条約であり気候変動枠組条約、生物多様性条約、併せて5つの文書が国際的に合意された。二酸化炭素削減の数値目標が決まったのは97年に京都で開催された同条約の第3回締約国会議(COP3=京都会議)[70]だが、牽引役となったのはEUだった。EUはまずは先進諸国が削減義務を負うべきだと主張、負担が増大することを懸念する米国はこれに反発し、米国対欧州という新たな対立構造が鮮明になった。当時のEUの積極性は、90年代後半に相次いで中道左派政権が誕生したことと関係が深い。96年4月にイタリアで「オリーブの木」を中核とする中道左派政権が成立、97年5月には英国総選挙で労働党が圧勝、フランスでも同年6月に社会党、共産党、緑の党などによる左派連合政権が誕生した。これらの政権は労働問題や環境問題を重視しており、地球温暖化問題でも二酸化炭素削減を主張した。

97年12月の京都会議では、米国とEUが対立し、削減目標に関する交渉は難航した。米国は「先進国だけでなく、発展途上国にも削減義務を課すべきだ」と従来の主張を繰り返したが、最終的に米国が妥協する形で交渉は成立し、温室効果ガス削減義務から途上国を除外、先進国のみ義務を負うとし

70　1992年の地球サミットで採択された気候変動枠組条約の締約国により、温室効果ガス排出削減策等を協議する会議。95年の第1回会議(COP1)以来、毎年開催。97年のCOP3は京都で行われ、京都議定書が採択された。

た京都議定書が採択された。議定書には２０１２年を目標年次に１９９０年の温室効果ガス排出量を基準とした削減目標が盛り込まれ、先進国全体で５・２％、主要国はＥＵ８％、米国７％、日本６％とされた。ところが、米国議会は「米国経済に打撃があるか、途上国が義務を負わない内容ならば批准しない」という決議を全会一致で可決しており、米国は議定書を批准しなかった。このため、国際的な温室効果ガス削減の取り組みは、世界最大の排出国である米国抜きで進めざるを得なくなった。京都議定書は、55カ国以上の批准及び批准国の温室効果ガス排出量合計が先進国全体の55％に達するという条件が満たされないと発効しない仕組みになっていた。ロシアが批准したことで05年2月に議定書は発効し、批准国には２０１２年までの目標達成が義務付けられた。日本は京都議定書を取りまとめた立場だけに、目標達成の責任は最も重く、６％削減を実現するためには、「京都メカニズム」の活用が不可欠であった。京都メカニズムには、クリーン開発メカニズム（ＣＤＭ）、共同実施（ＪＩ）、国際排出量取引（ＩＥＴ）の3種類がある。

ＣＤＭは、温室効果ガスの排出削減義務のない発展途上国で行う省エネ事業に先進国が資金や技術を供与した場合、削減された量を先進国の目標達成分にカウントできる仕組みだ。ＪＩは、ＣＤＭを先進国間で行うスキームで、既に省エネが進んでいる日本ではさらなる二酸化炭素削減に大きなコストが掛かる。削減義務のある国の中でも、ロシアや東欧諸国はあまりコストを掛けずに省エネが可能なので、日本国内で同じ事業をするより資金を出した方が得になる。国際排出量取引は、先進国が目標よりも多く削減できる場合、超過分の排出枠を他国に有償譲渡できる仕組み。譲渡は削減義務のある先進国間でしかできない。

ＩＥＴの導入により、国や産業種別で異なる温室効果ガス排出量削減のコストが、有効に機能することになる。例えば、未発達の技術を用いて経済活動をしている開発途上国では、先進国の技術を導入すれば温室効果ガスを削減できるのでコストは比較的小さい。一方で、先進国では既に削減努力が行われており、さらに温室効果ガスを削減するためには新技術やシステムを実用化する必要があり、多大な投資や労力が必要となる。排出取引の制度を導入すると、削減しやすい国や企業は炭素クレジットを売ることで利益を得られるので、削減に対するインセンティブが生まれ、より努力して削減しようとする。このように市場原理を生かして環境負荷を低減する手法を経済的手法という。

温暖化対策では、議定書という国家間の法・政治システムが、経済システムとのコミュニケーションを積極的に図ろうと様々な仕組みを作ったことが特徴的である。また、グローバルな取り決めに多くの先進国が参加し、途上国も排出権取引の仕組みによって温暖化ガス削減のテーブルにつく環境が生み出された。米国では温暖化ガス削減のため、スマートグリッドというハイテクと自然エネルギーを使用した自家発電を組み合わせたシステムが生み出され、個々人が電力会社と契約して売電するなどの制度も設け、市民社会レベルでの二酸化炭素削減が実施されている。日本国内でも、太陽光発電などの電力を電力会社が買い取る仕組みも整備されたが、買い取り価格などが安定せず、ソーラーパネルなどの設置にブレーキがかかっている。

地球サミットの前後から、企業の環境マネジメントに関する関心が高まりを見せ、ＩＣＣ（国際商工会議所）[71]、ＢＣＳＤ（持続可能な開発のための経済人会議）[72]、ＥＵなど、様々な組織で検討が開始された。ＩＳＯ（国際標準化機構）[73]では、平成5年から環境マネジメントに関わる様々な規格の検討を開始し、ＩＳＯ１４０００シリーズと呼ばれる規格を作った。これは、環境マネジメントシステムを中心として、環境監査、環境パフォーマンス評価、環境ラベル、ライフサイクルアセスメントなど、環境マネジメントを支援する様々な手法に関する規格から構成されているもので、エコ企業としてイメージアップを図りたい企業が取り組みを見せた。システム間のコミュニケーションは、地球環境問題に関する科学者の報告を受け、各国が温暖化ガスの削減目標を話し合い、国際政治から国際的な経済システムへのコミュニケーションが図られていくという流れになり、エコ政治が市民社会と密接に結び

71　ＩＣＣは、第一次世界大戦後、荒廃したヨーロッパの産業・経済の復興と自由な国際通商の実現を目指して、１９１９年10月開催された「アトランティック国際通商会議」をもって嚆矢とする。１９２０年ＩＣＣ創立総会が開かれ、以来民間企業の世界ビジネス機構として活動、世界１３０カ国以上の国内委員会等及びその直接会員である企業・団体より構成されている。

72　１９９２年の国連地球サミットにおいて、経済界からの持続可能な開発についての見解を提言することを目的として創設された団体。

73　国際標準化機構（International Organization for Standardization）、略称ＩＳＯは、国際的な標準である国際規格を策定するための非政府組織。各国１機関だけが参加できる。国際標準化機構が出版した国際規格（ＩＳ）もＩＳＯと呼ぶ。

ついていない日本国内では、市民社会とは無関係に温暖化対策が講じられているという印象さえ受ける。市民はもはや地球環境という正義に基づいた新商品を購入する正しい消費者であることしか求められていないようにも感じる。また、引退した政治家が反原発などを唱えてメディアへの露出度を高めており、一層、市民社会と解離したエコ政治が横行しているように見える。アメリカではアル・ゴア[74]の『不都合な真実』が大反響を呼んだ後、ゴアの政治活動に国民が辟易するといった状況が生じている。国内でも、クリーン発電を唱え、原子力発電の必要性を強調する電力会社の広報活動などは、興ざめでさえある。

京都議定書の後を受ける、二酸化炭素削減のための国連気候変動枠組み条約（UNFCCC）第21回締約国会議（COP21）が2015年12月開かれ、長期的な目標を定めたパリ協定が採択された。これらの会議は、もはや途上国が先進国から資金援助を引き出すための国際政治の駆け引きの場と化している観があり、テロのために市民のデモが制限されたパリ市内では、難航する会議に強い意思を示すために、NPOやNGOの抗議活動が行われた。

8. 科学情報過程論としての地球環境問題

環境問題に関する科学情報は、例えば足尾銅山の鉱毒事件であれば、流域の被害の原因が鉱毒にあ

74　アメリカ合衆国元副大統領。『不都合な真実』等の地球環境問題啓蒙への貢献でノーベル平和賞受賞。

るという認識は新聞雑誌によって定着し、流域の農民の陳情に関しても報道によって市民社会に広がった。それを政治運動にしたのは国会議員であった。法・政治システムに、マスメディアと議員の働きかけによって、経済システムの企業に被害を止める活動を実行させたのだ。しかし、明治政府は村ごと消滅させることを決断し、初期の公害運動が国内に広がりを持つことはなかった。明治時代の法律には、国家賠償や差し止め訴訟などの法制度は整備されておらず、戦後の公害運動のように国家の責任を問う裁判に訴えることもできなかった。

戦後の公害問題では、明治時代との大きな違いはマスメディアの発達にある。そして、法・政治システムの差異として憲法・民法・行政法など諸法に基づく人権保障が挙げられる。加えて、政府や加害企業の側に立つ科学者もいたが、被害者側に立つ科学者も存在するようになったことが大きく異なる。市民社会がある程度の力を備え、被害者の支援を行えたことも戦前との大きな違いである。市民社会のアクターである支援団体や個人、学生運動上がりの活動家などの協力で、多くの公害被害救済のための裁判が行われた。そして、政治の側でも、野党を中心に公害対策基本法の制定が行われ、企業活動によって生じる排水や排煙を規制することが可能になった。まさに、市民社会と法・政治システムのコミュニケーションが成立し、法制度により企業活動をコントロールすることが可能になったのだ。法・政治システムと経済システムのコミュニケーションが成立したと言えるだろう。そして、そのコミュニケーションの潤滑油となったのがマスメディアである。マスメディアが被害者の惨状を報道し、市民社会がそれに共感するというコミュニケーションが成立していた。石牟礼道子[75]の『苦海浄土』や有吉佐和子[76]の『複合汚染』などはベルトセラーになった。文化システムもまた、市民社会の動きと連動した。この頃から環境問題や自然食などに関しての市民運動が盛んになっていく。そして、国内企業も積極的に公害防止に乗り出し、日本国内の公害問題は終結に向かった。そして、公害問題から環境問題へと時代は移り変わる。

酸性雨問題では、公害問題が国境を越えてグローバルな環境問題になるきっかけとなった。北欧諸国が排ガス問題に欧州を挙げて取り組むように求め、その政治的な動きが各種の条約や議定書となって結実していった。科学者の研究が一国の政治を動かし、一国の政治が欧州を動かし、それが全世界を動かすというように、グローバルな問題解決がはかられるようになった。これは国家間のコミュニケーションを、条約という国際法メディアが可能にした例である。チェルノブイリ原発事故は、主にヨーロッパの原子力に反対する市民NGOやNPOの活動を促進した。フロン全廃では、グローバルな国家間の取り決めを受け、代替フロン作成に企業が迅速に動き、初期のフロンは全廃された。市民社会から環境問題解決のために様々なシステムへの働きかけがなされ、それが持続することによってNP

---

75 熊本県天草郡河浦町（現・天草市）出身。作家。代用教員、主婦を経て谷川雁の「サークル村」に参加、『苦海浄土わが水俣病』で第一回大宅壮一ノンフェクション賞を与えられたが辞退。

76 和歌山県和歌山市出身。1931年～1984年。作家。

OやNGO、政党は法・政治システム、経済システムへの発言力を維持できる。経済システムのアクターの企業もISO14001取得など、エコ企業であることが企業イメージ向上にもつながることから、環境問題へのコミットメントを企業活動の一環と位置づけるようになった。エコポイントなど、日本政府も積極的にエコ製品の市場導入を後押しした。

従来のシステム間のコミュニケーションでは、公害がよい例であるが、情報は専門家からマスメディアを通じて市民社会や政治家などに流れ、被害者を市民社会や政党などが支援しながら裁判闘争などを行い法・政治システムへのコミュニケーションを図り、法・政治システムから経済システムへコミュニケーションが実行されることで、公害企業の規制が実施されていった。しかし、地球環境問題以降のコミュニケーション過程は、複雑なものになった。地球温暖化を科学者が警告することで、市民社会と政治家やその仲立ちをするNPOやNGOが動き出す。その動きはしばしばグローバルでさえある。すると、一国の法・政治システムを超えたグローバルなコミュニケーションと、北欧やEUなどの環境問題先進国が牽引し、条約や議定書などが策定されていく。グローバルな法・政治システムは経済システムとのコミュニケーションにより、温暖化ガスの削減が実行されていく。加えて、グローバル公共圏の市民社会の側も、生活スタイルを変貌させていき、消費者として産業社会を変えていく形で、市民社会と経済システムとのコミュニケーションが図られるという構図だ。欧州のNPO、NGOには科学者が参加し、市民社会のための調査・研究を行うものさえある。ドイツなどの例で見たとおり、多くの市民が緑の党やグリーンピースなど何らかの団体に加盟しており、政治活動も積極的に行っている。

欧州と比べ、このようなシステム間のコミュニケーションに市民社会が参画していく仕組みは、日本国内には未成熟である。世界的にはグローバルな公共圏に所属する市民が政治的な活動も積極的に繰り広げるのに対し、日本社会では、市民社会は非政治化されている。原子力問題でも、例えば山本太郎現国会議員のように、反原発を唱えれば俳優を廃業しなければならないというような現象まで生じた。地球環境問題では、環境に優しいエコ企業のエコ製品を、意識の高い消費者が購入するという構図で、新商品を売り出すための格好な宣伝材料に環境問題が使われた。最早、国内の市民社会は経済システムから科学的正しさを標榜する新商品を、次々と購入させられる側に回った観がある。

科学技術が市民社会に及ぼす影響は地球環境問題だけではなく数多い。しかしながら、日本の市民社会が失うべきでないのは、公害の時代から積み重ねられてきた、法・政治システムや経済システムにどのように働きかけ、どのように主体的にコントロールしていくのかといったノウハウなのではないだろうか。そして、それらのノウハウを生かしつつ、インターネットやSNSなどの双方向型のネットワークでグローバルとローカルなネットワークを構築し、市民社会による環境問題対策への関与を高めていく必要があるのではないだろうか。

生物多様性に関しては、地域住民の観察ネットワークが全国的なつながりを持っている。野鳥の会などの活動も、地域の支部の情報が全国的に共有されるようなネットワークが構築されている。これらの自然愛好家たちが、グローバル公共圏の動きと連動しながら、社会性を持った活動を繰り広げられるように、環境問題だけでなく科学技術の問題について、広く議論するような場が生み出され、社会リテラシーを向上させることが地球環境問題に対応するための日本国内の課題ではないだろうか。

第五章　脳死臓器移植と科学情報過程論

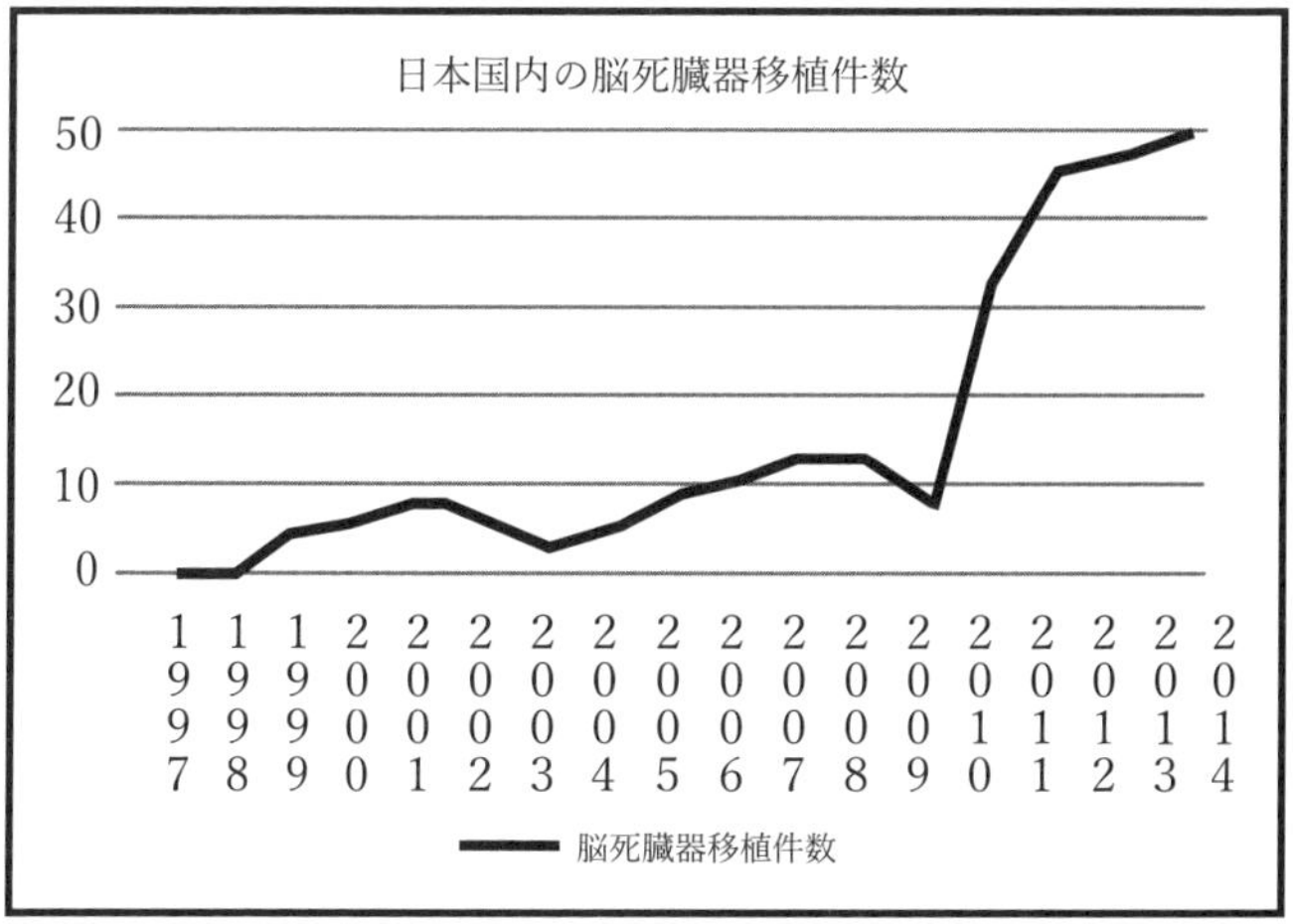

図1　日本の脳死臓器移植件数の推移（著者が作成）

1. はじめに

この章では、脳死臓器移植法の制定過程を分析することで、専門知が市民社会の参画が不十分なまま法・政治システムとのコミュニケーションに偏った情報過程を取った日本における脳死臓器移植の科学情報過程について分析していきたい。

脳死臓器移植法が施行されてから10年近くが経とうとしている。しかし、欧米諸国と比べて日本における脳死臓器移植は社会に根付いたとは言えず、その件数は少ない。法制度の不備や科学的知識の不足だけでなく、その背景として、死に対する国民の意識が、キリスト教をベースとした西欧と日本では異なることがあると多くの識者に指摘されている。医師などを中心とする科学者主導で、科学的に「正しい」とされる脳死[77]

77　Brain death　人の脳幹を含めた脳すべての機能が不可逆的に回復不可能な段階まで低下して回復不能と認められた状

が定義され、法制化されたのだが、死という極めて文化的な現象を、科学的な「正しさ」で定義していいのだろうか。日本社会の多くの国民は、本当に脳死を人の死と思っているのだろうか。欧米に倣い、患者が納得して医療を受けられるようにインフォームド・コンセント[78]が導入され、説明と同意のもとに医療が提供されるようになってきている。2010年に脳死臓器移植法が改正され、家族の同意のみで移植が可能になった。しかし、いくら医師が患者の家族に説明しても、ドナー[79]になる脳死患者は微増する程度である。どうして、このような現象が生じているのだろうか。科学的正しさ＝社会的正しさといえるのかどうか、情報過程として不備があるとも考えられ、この論文で日本の現状を分析し、あり得べき方向性を提示したい。

2. 日本の脳死臓器移植の現状

1997年10月、臓器の移植に関する法律が施行され、脳死患者本人が脳死判定に従い臓器を提供する意思を書面で表示しており、かつ、家族が脳死判定並びに臓器提供に同意する場合に限って、法的に脳死臓器移植が可能になった。その2年後の1999年に高知県内の高知赤十字病院において、

態のことだが、国によって定義は異なる。
78 Informed consent 手術などに際して、医師が病状や治療方針を分かりやすく説明し、患者の同意を得ること。
79 提供者を意味する英語。

初めて脳死臓器移植が行われた。しかし、その後も脳死臓器移植件数は増加せず、年間一桁で推移した。その傾向が変わったのが、2010年の臓器移植法改正だった。改正法案では、15歳未満の子どもも含めて家族の承諾のみで脳死下の臓器提供ができるように改正され、全面施行された。脳死移植件数は年間50件前後に増加したが、海外と比較[80]すると極端に少ない数字で推移している。

世界で初めて心臓移植が行われた翌年の1969年、札幌医大の和田教授によって日本で初めての心臓移植が行われた。レシピエント[81]が移植後83日目に死亡した上、ドナーの脳死判定や、レシピエントの移植適応をめぐる問題が指摘され、和田教授は殺人罪で告発された。札幌地検が捜査したが、証拠不十分で不起訴となった事件がある。マスコミは医療不信を煽り、特に脳死移植に対する懸念が強くなり、その後の日本での臓器移植医療の停滞の大きな要因となった。

脳死臓器移植の件数の推移について、2010年の臓器移植法の改正前には、法律の不備があったと指摘する声が大きい。2006年4月から小腸を除く臓器移植に保険が適用されるようになり、2010年からは、ドナーカード[82]がなくても、家族の同意のみで、脳死臓器移植が可能になった。しかし、

80　日本移植学会によると、アメリカでの2012年の1年間に実施された臓器移植は、心臓移植2300例以上、肝臓移植6000例以上、腎臓移植16000例以上。http://www.asas.or.jp/jst/general/data/qa1.html（2016・1・18）
81　臓器移植や骨髄移植で、臓器や骨髄等の受容者。
82　日本臓器移植ネットワークが発行している臓器提供意思表示カード。脳死臓器移植法に則り、自らの臓器提供に関して意思を表示するためのもの。

年間の脳死臓器移植件数は、欧米の数%の50件に満たない。その背景には他の要因があるのではないかと考えられる。

その他の要因として、医療システムの不備が挙げられている。病院内で最も多くの脳死患者が発生する場所は救急救命センターである。救急医や脳外科医が脳死判定[83]を行うが、救急医は多忙でその余裕がない。加えて、脳死判定には保険診療が適用されない。厚生労働省の指定する脳死臓器移植を行える5類型と呼ばれる病院が全国で指定されているが、脳死を判定する専門家である判定員を確保できない病院が多い。アメリカには、臓器提供をコーディネートしているUNOS（全米臓器配分ネットワーク）[84]の傘下にOPO（臓器獲得機構）[85]があり、臓器確保の活動をしている。日本には臓器移植ネットワーク[86]があるが、臓器を斡旋する組織であって、臓器を確保する組織ではない。医療関係者は、このようなルールの不備により、日本の脳死臓器移植は停滞しているという意見がある。そのような意見に対し、梅原猛のような思想家、立花隆のようなジャーナリスト、小松美彦のような学者が科学や生命倫理の立場から、もっと根深い問題があるのだと反論してきた。臓器移植の歴史を概観した後、脳死臓器移植法案作成時の議論を振り返り、この問題の背景を探り、科学的正しさと社会的正しさの

83　法的脳死判定は、脳死後に臓器を提供する場合に行われ、二回目の終了時刻が死亡時刻となる。
84　United Network for Organ Sharing
85　Organ Procurement Organization
86　１９９５年に腎臓移植ネットワークとして発足し、１９９７年に臓器移植ネットワークに改組。

違いについて考察していきたい。

3. 臓器移植の歴史

それでは、脳死臓器移植の前身である臓器移植はどのように医療として定着していったのだろうか、概観してみたい。『いのちの選択　今、考えたい脳死・臓器移植』（岩波ブックレット）、『移植医療』（岩波新書）によると、1902年、ウィーンの外科医ウルマンは、イヌの腎臓を首に移植する実験を行い、移植された腎臓は正常に機能した。1905年にはフランスのカレルもイヌの腎臓移植を行った。カレルはネコでも移植実験を重ねたが、一時正常に機能した腎臓が機能しなくなった現象から拒絶反応を発見した。1906年には、ヒツジやブタの腎臓のヒトへの異種移植も行われたが失敗した。ヒトの腎臓移植は1936年に初めて行われた。ウクライナのボロノイは、急性腎不全患者を救うため、死者から摘出した腎臓を患者の大腿部に移植したが、36時間後に死亡した。免疫学は次第に進歩し、移植した臓器が免疫反応[87]によって拒絶されることが次第に解明された。

メダワーは第2次大戦中ロンドンで、患者に皮膚を移植したとき、同一人物の皮膚を使うと、1回目よりも2回目のほうが生着期間が短くなることに気づいた。メダワーは、1回目の移植で体内に何

87　人体には自己と異なる物質を排除する仕組みが備わっており、リンパ球が関わっている。抗原抗体反応によって異物を排除する体液性免疫と、キラーT細胞が移植片などを直接攻撃する細胞性免疫からなる。

らかの記憶が残ったと考え、動物実験を繰り返して、この反応が免疫に由来することを発見した。当時、動物実験では一卵性双生児間の皮膚移植が成功していた。人間の場合も成功が予測されていたが、1954年、ボストンで腎不全患者への一卵性双生児の兄弟からの腎臓移植が成功した。内科医メリル、外科医マレーらが実施したもので、患者は8年間生存した。一卵性双生児間では、移植臓器が拒絶されないことが立証された。

一方、一卵性双生児以外の臓器移植では、拒絶を防ぐために免疫反応を抑制しなければならず、初期の段階ではX線を照射して白血球を減少させる方法が考えられた。これは重大な合併症を起こすため実用化はできず、薬剤を使う方法が考案されるようになった。1958年、6―メルカプトプリン[88]という物質が強い免疫抑制作用を持つことが発見された。この薬剤は副作用が大きかったが、その誘導体であるアザチオプリン[89]は副作用が比較的弱く、免疫抑制剤として有効であることが分かった。アザチオプリンは、シクロスポリン[90]が登場するまで免疫抑制剤の主役を務め、現在でも、ステロイドやシクロスポリンと併用して用いられている。

1963年、スターツルは世界で初めての肝臓移植を行った。患者は胆道閉鎖症の幼児で、移植直

88 Mercaptopurine　抗がん剤で免疫抑制の作用を持つ。
89 Azathioprine　免疫抑制剤。
90 Cyclosporin　臓器移植による免疫抑制や自己免疫疾患の治療に使われる。

後に死亡した。スターツルはその後も肝臓移植を続け、１９６７年には４００日生存という結果を得た。肝臓の移植手術は主にスターツルとロイ・カーンによって推進され、１９７０年代の終わりまでに手技法はほぼ確立された。１９６３年には肺移植、１９６６年には膵臓移植の第1例が行われた。

１９６０年代初めから、スタンフォード大のシャムウェイらはイヌの心臓移植を行い、アザチオプリンを使用した免疫抑制法の研究に取り組んでいた。南アフリカのバーナードが１９６７年12月、世界初の心臓移植手術を行ったが、レシピエントは18日後に死亡した。翌年、バーナードは2度目の心臓移植を試み、患者は9か月生存した。これを受けて心臓移植ブームが起こり、１９６８年には世界で約１００例の心臓移植が行われたが、患者はやがて拒絶反応が原因で死亡、拒絶反応の壁の厚さを認識させられることになった。心臓移植ブームは１９６９年以後急速に退潮したが、シャムウェイのグループは臨床研究を継続した。心臓移植に提供される心臓は、脳死の患者から摘出しなければ役に立たない。このため、一躍「脳死」の問題がクローズアップされることになり、１９６８年にはハーバード大が脳死基準を発表した。

現在、臓器移植は実験的段階を超えて先端医療の段階に入り、腎臓移植は一般的な医療とみなされるほど、欧米では普及した。臓器移植は第三者からの臓器提供を前提とするため、移植の実施数が増えるにつれ、医療の枠組みを超えて社会的な存在になっていく。心臓・肝臓移植は、脳死での摘出が必須条件となるため、脳死判定、臓器摘出のタイミングが大きな問題となり、公的で明確な脳死基準が求められるようになった。摘出された臓器を、公平・公正に、最適のレシピエントに移植するかという配分の問題も重要となり、移植のためのネットワークの整備が必要となった。前述したように、ヨーロッパのユーロトランスプラント、アメリカのUNOSが代表例である。

日本における移植研究の先駆者は京都大の山内半作で、日本肝移植研究会[91]によると、1910年に「臓器移植」という論文を発表した。1956年、新潟大の楠隆光教授が、急性腎不全の患者の大腿部に突発性腎出血で摘出した腎臓を移植、日本の腎臓移植第1例である。1964年には東大の木本誠二教授が慢性腎不全患者に対する生体腎移植を行った。また同年には千葉大学の中山恒明教授らによって、日本で初めての肝臓移植も行われたが、患者は5日目に死亡した。第2例は1969年に行われた。以後、1993年まで死体からの肝臓移植は行われていない。

1980年代、免疫抑制剤のシクロスポリンの導入によって、欧米では心臓、肝臓移植が急速に普及した。このため、日本では移植を受けられない心臓病、肝臓病の患者が、ヨーロッパ、米国、オーストラリアなどに渡って移植を受けるケースが現れた。他方で、脳死肝移植に代わる手段として、患者の肉親などが肝臓の一部を提供する、生体部分肝移植が行われるようになった。1989年11月、島根医大で先天性胆道閉鎖症の男児に、父親の提供による移植が行われたのが最初で、この患者は285日目に死亡した。

91 http://jlts.umin.ac.jp/history/index.html（2016・1・18）

4. 脳死臓器移植の始まり

脳死という概念が議論として最初にあらわれるのは、1960年代の後半に遡る。南アフリカで世界最初の心臓移植がおこなわれた次の年、アメリカのハーバード大学医学部で、脳死判定の手順・基準が定められた。これはその後、「ハーバード基準」と呼ばれ、脳死を定義する際の世界的な基準とされた。

1988年にブラジルで生体からの肝臓摘出・移植が行われたのを最初の例として、各国で次第に生体移植も実施されるようになった。日本では、ブラジルの事例の翌年、初の生体肝移植がおこなわれた。これ以降現在まで、日本はほかの国々よりも高い割合で、ドナーを生体とした肝臓移植をおこなっている。ドナーをどう定義するかは、国や地域によって解決の仕方が異なる。

日本での法制的議論の経緯としては、1983年厚生省「脳死に関する研究班」(「竹内班」)が発足。1985年厚生省脳死判定基準であるいわゆる「竹内基準」を発表。同年12月、厚生省の研究班によってまとめられた「厚生省科学研究費・特別研究事業『脳死に関する研究班』脳死判定基準」を発表した。この判定基準は、厚生省基準あるいは研究班の班長の名前(竹内一夫杏林大学医学部教授)をとって竹内基準と呼ばれている。この研究班は、以下の6つの基準を挙げた。(1)深昏睡、(2)自発呼吸の消失、(3)瞳孔の散大、(4)脳幹反射の消失、(5)平坦脳波、(6)時間経過である。

産経ニュース「日本の分岐点」（２０１３・11・９）[92]によると、竹内は昭和49年に日本脳波学会が発表した日本初の脳死判定基準作りに関わるなど、脳波研究の第一人者だった。昭和58年9月、厚生省の「脳死に関する研究班」が発足し、竹内が班長を務めることになった。「一例でも間違って生き返れば切腹ものだと思っていた」。竹内は当時の緊張感を語った。脳がこの状態になったら人は絶対に蘇生しないという蘇生限界点（ポイント・オブ・ノーリターン）を確定させることが不可欠だったと言う。竹内らがつくった日本脳波学会の脳死判定基準を土台に、2年あまりかけ、国内で脳死とされていた７１８症例を集め、どうして脳死になったのか、脳死後どのような経緯をたどったのか、蘇生しなかったかどうかなどを徹底調査し、検討を重ねた。

60年12月、研究班は日本脳波学会の基準の精度を高めた新たな脳死判定基準である竹内基準を発表。脳機能の喪失を厳格に調べる点など、世界的な評価も高く、現在の臓器移植法でも脳死判定基準として使われている。「この基準で生き返った人は一人もいない。いまのところ、正しかったことが確認されている」。竹内は自らこう評価している。１９８８年 日本医師会・生命倫理懇談会「脳死及び臓器移植についての最終報告」を経て、１９９０年「脳死臨調」が設置され、１９９２年 最終答申を行っている。

同産経ニュースによると、「脳死は人の死ではない」「脳死を人の死とした場合、社会的混乱や人権

92　http://www.sankei.com/life/news/131109/lif1311090025-n1.html(２０１６・1・18)

侵害を招く恐れがある」哲学者で国際日本文化研究センターの所長だった梅原猛[93]や弁護士の原秀男らが反対の論陣を張った。鹿児島大学長だった井形昭弘（85）によると、鋭く対立した問題は、脳死が人の死であることを法で定めることだった。梅原は、脳死を人の死としなくても、生前に脳死での臓器提供の意志を示している人がいるなら、移植を認めればいいという意見。元東京大学長で刑法の権威、平野龍一[94]が「法的に脳死を死と認めなければ、それは殺人罪になる」と激しく反論した。

同産経ニュースによると、世間の関心を集め、大きく報道される中、脳死臨調は33回の会合、6回の公聴会を重ね、平成4年1月、会長の永井から海部の次の首相、宮沢喜一に答申書が手渡された。最終的に答申は、「脳死をもって社会的・法的にも『人の死』とすることは妥当な見解である」と結論づけたが、梅原らの反対意見も少数意見として組み入れた。「答申は、脳死は人の死だという論理構成を整えることに終始し、全体として社会を納得させるだけの内容にならなかった」三菱化成生命科学研究所の社会生命科学研究室長の立場で参与として、梅原らの少数意見に名を連ねた米本昌平[95]（67）は話した。

93　1925年生まれ。日本の哲学者。京都市立芸術大学名誉教授、国際日本文化センター名誉教授。京都市立芸術大学学長、国際日本文化センター所長、社団法人日本ペンクラブ会長などを歴任。
94　1920年～2004年。日本の法学者。東京大学名誉教授・元総長。専門は刑事法。
95　1946年～。東京大学先端科学技術研究センター特任教授、総合研究大学院大学教授。専門は科学史・科学論、生命倫理、地球環境問題。

答申書の冒頭には「できるだけ速やかに、脳死及び臓器移植をめぐる諸問題の解決に必要な施策の検討に着手することを強く望む」と記されたが、政府が脳死移植を進める法案を立案することはなかった。臨調が、死を定義する難しさを逆にクローズアップしたと指摘する関係者は多い。結局、臓器移植法案は有志議員が上程し、審議されたが、そこにたどり着くのにも答申から5年かかった。

1994年、臓器移植法案が国会に上程されたが、次回、次々回へと継続審議となった。1996年、年齢制限を無くす臓器移植法案修正案「中山案」が国会に上程された。衆議院では脳死の定義を厳格に定めた「金田案」、参議院では臓器移植に関する制度設計まで盛り込んだ「猪熊案」が採択されたが、「中山案」の修正バージョンで、家族に関する条項を加えた「関根案」を持って1997年6月に臓器移植法が成立し10月に施行された。

5. 患者や家族の意思について

医療現場で、脳死臓器移植を実施するに当たっての重要なもう一つの転換点として、インフォームド・コンセントの実施が挙げられる。インフォームド・コンセント（Informed Consent）とは、約20年以上前に日本医師会が「説明と同意」と訳した欧米での医療のあり方の指針であり、患者の自己決定権を実現するシステムである。歴史的には、第二次世界大戦中のナチスドイツの人体実験への反省から、被験者の同意の前提としての説明義務が提唱されたことに端を発し、ヘルシンキ宣言（1964年世界医師会採択）[96]で、人体実験（臨床実験）の被験者の人権を守るために、被験者への十分な説明と同意が不可欠であるとの考えが示されたことに端著がある。その後、患者の権利に関する世界医師会リスボン宣言（１９８１年第34回世界医師会総会）[97]で、「患者は充分な説明を受けた後に治療を受け入れるか、または拒否する権利を有する」と明記され、患者の権利が具体化かつ拡大された。

日本でも、１９９７年に医療法が改正され「説明と同意」を行う義務が、初めて法律として明文化された。医療法第1条の4第2項には「医療の担い手は、医療を提供するに当たり、適切な説明を行い、医療を受ける者の理解を得るよう努めなければならない」とあり、「医療を受ける者」つまり患者の「理解を得る」「適切な説明」の重要性が、医療の現場で充分に認識されるようになってきた。医師の説明義務の内容は患者が自己決定権を行使するために必要な情報を提供するものである。

96　日本医師会によると、ヘルシンキ宣言とは人間を対照とする医学研究の倫理的原則であり、１９６４年に第18回ＷＭＡ（世界医師会）総会で採択された。

97　日本医師会によれば、リスボン宣言の正式名称は患者の権利に関するＷＭＡリスボン宣言で１９８１年第34回ＷＭＡ総会で採択された。序文には、「医師は、常に自らの良心に従い、また常に患者の最善の利益のために行動すべきであると同時に、それと同等の努力を患者の自律性と正義を保証するために払わねばならない。以下に掲げる宣言は、医師が是認し推進する患者の主要な権利のいくつかを述べたものである。医師および医療従事者、または医療組織は、この権利を認識し、擁護していくうえで共同の責任を担っている。法律、政府の措置、あるいは他のいかなる行政や慣例であろうとも、患者の権利を否定する場合には、医師はこの権利を保障ないし回復させる適切な手段を講じるべきである」とされている。

パターナリズムという、医師が患者への治療方針を決定して、患者は従うだけという医療から、時代は患者の意志を尊重するものに変わりつつある。問題となった日本の第一例の和田心臓移植に関しても、ドナー・レシピエント・その家族とも意志が尊重された形跡はなかった。パターナリズムのもと、功を焦る医師の暴走と位置づけられても仕方がない行為であった。そのような過去に反省し、脳死患者の意志を確認する手段として、臓器提供意思表示カード（通称ドナーカード）が創設された。臓器移植に関する法律に則って、自らの臓器提供に関して意思を表示するための、日本臓器移植ネットワークが発行しているカードである。脳死判定に従い脳死後に臓器を提供する意思、心臓死後に臓器を提供する意思、あるいは臓器を提供しない意思を表示することができる。自分で意思表示カードに記載し、財布、運転免許証、健康保険証など共に持ち歩けばよく、届け出、登録は不要である。近年では意思表示ができる欄のある保険証があったり、日本臓器移植ネットワークの公式ウェブサイト[98]でも、インターネットで意思表示が登録可能になっている。また、２０１０年10月21日以降に発行される運転免許証の裏面下部には、臓器提供意思を記す欄が設けられた。

２０１０年7月17日以降は、脳死臓器移植法が改正され、本人の意志がなくても、脳死移植は家族の同意が得られれば、認められるようになった。それまでは、脳死移植に関する生前の意思表示は『遺言の一種』であるという解釈から、民法上の遺言可能年齢に準じて15歳以上であれば、記入し所持す

98　https://www.jotnw.or.jp/（２０１６・１・19）

ることにより、意思表示が有効であると認めていた。脳死臓器移植の件数を増やす立場からは、進歩なのだろうが、本人の意思に基づく医療を行うインフォームド・コンセント、自己決定の尊重の観点からは、本人の意思がなくても移植が出来るように制度設計をしたことには問題が残るとする意見が多い。

また、改正案については、2006年の自民党の中山太郎などのA案は家族の同意のみの臓器提供、公明党の石井啓一などのB案は、提供年齢の下限を12歳への引き下げるもので、社民党の阿部知子らの脳死判定基準を厳格化するC案とともに提出された。厚生労働委員会家族の同意で15歳以下の移植を認めるD案も急遽提出されて審議され、16時間の審議のみでA案が衆院本会議で可決された。あまりに短時間の審議は、一部の識者から国民不在と批判された。

また、脳死臓器移植導入に際しては、マスメディアなどの「いのちのリレー」キャンペーンや、海外での脳死臓器移植のために募金を集める子供と家族の報道などが相次ぎ、科学的な見地や、法社会学的な見地より、人々の感情に訴えるような報道が相次いだ。

そのような流れの中で、内閣府が平成25年8月22日から9月1日にかけて全国20歳以上の日本国籍を有する者3000人に対して行った世論調査[99]（有効回収率61・8％）によると、「仮に、自分が脳死と判定された場合、心臓や肝臓などの臓器提供をしたいと思うか」という問いに対しては、提供したい」

99　http://survey.gov-online.go.jp/h25/h25-zouki/

とする者の割合が43・1％（「提供したい」22・7％＋「どちらかといえば提供したい」20・4％）、「どちらともいえない」と答えた者の割合が30・6％、「提供したくない」とする者の割合が23・8％（「どちらかといえば提供したくない」8・2％＋「提供したくない」15・5％）となっている。

「仮に、自分の心臓が停止し、死亡と判断された際に、腎臓や眼球などの臓器提供をしたいか」という問いに対しては、「提供したい」とする者の割合が42・2％（「提供したい」22・0％＋「どちらかといえば提供したい」20・2％）、「どちらともいえない」と答えた者の割合が28・6％、「提供したくない」とする者の割合が26・0％（「どちらかといえば提供したくない」8・2％＋「提供したくない」17・8％）となっている。

「仮に、家族の誰かが脳死と判定され、本人が脳死での臓器提供の意思を書面によって表示をしていた場合、その意思を尊重するか」という問いに対しては、「尊重する」とする者の割合が87・0％（「尊重する」60・1％＋「たぶん尊重する」26・9％）、「尊重しない」とする者の割合が7・7％（「たぶん尊重しない」3・2％＋「尊重しない」4・5％）となっている。

「仮に、家族の誰かが脳死と判定され、本人が脳死での臓器提供について何も意思表示をしていなかった場合、臓器提供を承諾するかどうかは家族の総意で決まるが、家族の脳死での臓器提供を承諾するか」という問いに対しては、「承諾する」とする者の割合が38・6％（「承諾する」12・4％＋「たぶん承諾する」26・2％）、「承諾しない」とする者の割合が49・5％（「たぶん承諾しない」26・1％＋「承諾しない」23・4％）となっている。なお、「わからない」と答えた者の割合が11・9％となっている。脳死＝人の死と法的に定義されても、市民の見解は別れており、コンセンサスがあるとは言いにくい数字だ。特に、臓器移植の意志を示していない親族の脳死臓器移植に関しては、国民の理解の進み方は緩やかだ。

6．脳死臓器移植への主な批判

ドナーを増やすそれだけの制度整備を行っても脳死臓器移植は増えない。それは、何故なのか、倫理学サイドからの警鐘が多く鳴らされている。梅原猛は、脳が死ねば、臓器を他人に移植できるとする脳死臓器移植は、デカルト以来の物心二元論に基づくものだとして反対し、脳死は人の死ではないと主張した。梅原猛は、『脳死は本当に人の死か』等一連の著作物で、日本人は、縄文時代以来、万物に魂が宿るとするアニミスティックな霊魂観を持ち、脳にのみ魂が宿り、身体は機械に過ぎないという近代西洋的な発想で、臓器を機械の部品のように交換することは、日本人にはなじまないという主張を、哲学サイドから展開している。

立花隆[100]は、『脳死臨調批判』中公文庫1994年で、「臨時脳死及び臓器移植調査会」を批判している。その理由は、「（脳死）検査法の有効性の証明の試みが何もなくて、『世界の判定基準は大体これと同じ

100 立花隆。1940年生まれ。ジャーナリスト、ノンフィクション作家。評論家。

ようなレベルです』『生き返った人がないんだからこれでいいんじゃないか』といったレベルの議論だけでは、一般の人が『はい、そうですか』と納得しないだろうということです。」[101]と記している。脳死臨調批判では、臓器移植の可否をあ論じる以前の、竹内一夫が作成した脳死判定の基準が批判の中心である。前述したように、竹内基準は蘇生限界点（ポイント・オブ・ノーリターン）を越えたことをもって人の死と見られるものだが、立花は「もう助からない」と「もう死んでいる」とは違うとしてこれを批判し、脳細胞の器質死[102]を基準とすべきことを主張した。医師などの専門家の難解な議論を、平易に解説、反論し、もっぱら科学的な観点から、脳死基準を批判して、世論を喚起した。

また、科学史科学哲学者の小松美彦[103]は、科学史家（生命倫理学）の立場から脳死臓器移植を歴史的に考察する著作、『死は共鳴する―脳死・臓器移植の深みへ』（1996）を刊行、脳死に対して批判的考察を続けた。続いて、『脳死・臓器移植の本当の話』（PHP新書、2004年）を著し、生命倫理学の立場から「臓器移植法」を批判した。著者は十数年にわたり激しい論争を展開し、「臓器移植法」（1997年）が成立する過程で各種のマスコミで「臓器移植法」反対の持論を展開し続け、現代医療の「進歩の思想」に異議申し立てを行った。「脳死を死とすることはなぜ問題なのか、脳死・臓器移植

101 『脳死臨調批判』中公文庫P52。
102 脳の機能が外部から測定不能になった時点を機能死というのに対し、脳の組織自体が修復不可能に崩壊した場合を器質死という。
103 小松美彦。1955年生まれ。生命倫理学者。武蔵野大学教授。

は本当に十全な医療なのか」という問題設定で、そもそも脳死は人の死であると科学的に言えるのかという問い直し、国家が法で死を定義することへの社会的問題点を鋭くつく視点から、脳死・臓器移植を批判している。

その他、梅原猛編「脳死は、死ではない。」（１９９２年）の中には、五木寛之との対談が掲載されている。この中で五木は梅原の態度を批判している。梅原は、西洋のキリスト教、東洋の仏教の菩薩行から、最終的には脳死臓器移植はありえるという立場を取った。対して、五木の態度は、人間は結局のところ病気には勝てないので、老いを認め、病を認め、死を迎え入れる思想が必要になるというものだ。一つの病気がなくなっても他の病気が出てきて、人間は常に病気とともに存在している。医療に終わりはなく、五木は老いて病んで死んでいくという、その事実を受け入れた哲学が必要になると考えている。つまり、脳死臓器移植などというように医療が進歩を続けることには限りがなく、それが人間のいわば業であるということを示唆していると思われる。

文学者、思想家、ジャーナリスト、科学史科学哲学者などが、脳死臓器移植に対して批判を繰り広げたが、脳死臨調は結局は、医師会と政府の脳死臓器移植にお墨付きを行うための儀式のようなものという批判も多い。未だに、脳死を人の死と考えない日本人も多く存在する一方で、脳死臓器移植を望む患者やその家族も増加している。小松美彦のように、人の死を科学や法律で定義することを批判する学者もいる。

7. 科学的な正しさと社会的な正しさ

厚生労働省や医師会は、今日まで脳死臓器移植が日本社会に浸透しないのは、国民への周知が足りないためと考え続けている。そして、最新医療である移植医療を受け入れるのが、あり得べき国民の姿勢だと見做している。しかし、法制化し、免許証に臓器提供の意思を記入する欄を設けても、臓器提供は欧米並みになるには程遠い状況だ。この論文では、科学情報過程論という社会システム論を援用した科学情報と市民の関係性のあり方を探る試みから分析を試みたい。

明らかに、日本における脳死臓器移植は医師会と一部の患者のニーズから始まっている。そして、医師会の一部を中心とした勢力が、欧米の医学界では実施され、科学的に正しいとされている脳死を法制化して、従来の人の死の社会通念だった心臓死から脳死に日本人の死の定義を変えることを試みたのだ。これは、私のモデルで言えば、科学知と法・政治システム間のコミュニケーションBである。そして、それを次第に市民社会へ浸透させることを志向した。梅原や五木は文化システムを代表する思想家や作家である。また、立花隆も文化システムを代表するジャーナリストである。彼らは脳死臓器移植というものに対する深い意味での理解が、市民社会に存在しないことに敏感に反応した。人の死の定義を変えるという行為は、従来の科学技術のように欧米の進んだ技術を輸入するという図式では、済まないことは明らかであった。日本における脳死臓器移植の導入過程は、市民社会不在の一連の動きであったと考えられる。そのコミュニケーションはCである。

脳死から少し離れると原子力発電所の運転に関しても、同様な議論が行われている。すなわち科学者集団が、（世間では彼らを原子力村の住人などと揶揄するが）安全基準を満たしていると発表。政府や裁判所は、これをもって運転再開を認める判決や判断を示す。しかし、例えば、ドイツの原子力政策などは、国民が反対すれば、原子力発電所の運転は停止であり、社会的なコンセンサスが、科学的な正しさよりも上位に位置している。逆に、地球温暖化問題では、温暖化という科学的正しさが、経済システムより上位にあると、多くの市民や社会は判断し、経済システムや法・政治システムへのコミュニケーションとして、温暖化ガスの排出削減を求めていく方向性である。いずれも、市民社会、グローバル市民社会のコンセンサスがあっての、動きである。日本での、一連の動きには、市民社会の存在が無視されている。その中で、脳死臓器移植に、賛同する者・反対する者の両者が存在し、市民社会は情報が欲しかったからこそ、立花隆の著作などがベストセラーになったのだ。

脳死臓器移植を未来の医療として選択するか、原子力発電を未来のエネルギーとして選択するか、あるいは、温暖化対策を未来の地球のために選択するか。これらは、科学的に正しいかどうかを超えた、市民や国民、あるいは地球人類のコンセンサスを得なければならない問題である。米国ではＳＴＳ（Science Technology Studies）という分野で、科学と社会との関係のあり方を探る試みが続き、日本においてもＳＴＳが移入されたが、新自由主義の風潮の中で、産業界が効率よく科学知を利用し新製品などを生み出すための制度設計などが研究の中心になってしまった観がある。本当の意味での、社会と科学の関係性を探る、特に市民社会と科学の関係性を探る研究は、圧倒的に少ないのが現状である。前述したトランスサイエンスの領域の問題と位置付けることもできるだろう。さて、そのような状況下で、科学者に、人類の未来を託せるのだろうか。科学者は、狭い分野の研究領域では優れているかもしれないが、人類や日本国民の将来を決める決断が出来るだけの英知を持っているとは思えない。科学者側も、そのような決断を行うには、自分たちには荷が重過ぎると思うだろう。

そして、そもそも科学にはトーマス・クーン[104]のパラダイムシフトで論じられたように、科学革命が起こって、古い科学観が新しいものに姿を変えることは歴史的に何度もあった。今の科学の正しさが、将来とも維持される保障はないのである。科学とはその時代の知の一種であり、絶対的に正しいものではない。そして、反証可能性に開かれた知の体系でしか科学知がないということは、科学史・科学哲学の立場からは、周知の事実なのである。小松らは、脳死とされた患者がその後も長く行き、子供であれば成長したり、「死」という定義に当てはまらない動きをしたりする例を挙げ、そもそも科学としても「脳死＝人の死」という定義は正しくないということの検証を続けている。過去には、脳に損傷を受け、もう意識が戻ることはないとされた患者が、脳低温療法という新しい治療で、意識を回復した例が多数存在する。その他、再生医療の分野でも、幹細胞などから脳神経組織が培養され、それ

104 Thomas Samuel Kuhn（1922年~1996年）は、アメリカの科学史家。『科学革命の構造』で、科学の歴史が常に累積的なものではなく、断続的に革命的変化「パラダイムシフト」が生じると指摘し、思想界に一大ムーブメントを起こした。

を移植するといった治療法も提示されている。現段階の科学で蘇生限界点（ポイント・オブ・ノー・リターン）でも、何年か後にはそうでなくなる可能性があるのだ。

しかしながら、従来治らなかった心臓や腎臓疾患、肺や肝臓の移植で命を取り留めることができる医療も存在し、現状では助からない患者の臓器を提供してもらって、命をつなぎたいという市民の声も大切だ。そして、間違っても現在の医療でポイント・オブ・ノーリターンでない患者から臓器を摘出しないように、脳死判定は厳密さを高めてきている。政府も「いのちのリレー」というような情緒に訴える周知策だけではなく、どういう医療なのかについて立花隆が果たしたジャーナリズムとしての役割の延長線上に、国民に対して科学的な情報提供をしていく必要性が高いだろう。

では、どうすればよいのだろうか。それは、現在の科学的に正しい知識を市民に伝えれば、市民は正しく認識するという欠如モデルではなく、科学知を市民に情報提供し、また市民の側も科学知にアクセスできるような法制度を整備し、科学の方向性を科学者と市民がともに探り、市民社会の意見が選挙や裁判などを通して法・政治システムの立法や、消費者としての市民、ＮＧＯ・ＮＰＯなどの圧力団体としての市民社会が参画して、経済システムに働きかける、そのようなシステム間のコミュニケーションを成立させることが不可欠だと思われる。２００３年、アメリカ下院に「科学への公衆アクセス法案」[105]（public access to science act）が提出された。科学知への市民サイドからのオープン・ア

105　名和小太郎「科学への公衆アクセス法案」『情報管理』２００６年２月。

クセスの動きが生じているのだ。国家や研究機関、企業に科学情報を秘匿されることへの危機感がその背景にある。このような社会ビジョンを共有する市民が、着実に歩みを進めている。

小松美彦らは、生命倫理の立場から、脳死だけではなく尊厳死などの法制化にも懸念を表明している。しかし、まずは国民が不在なままで、「死」を科学的・法的に定義する行為が偏った情報過程でしかないのかを、ますは明らかにする必要があるだろう。もし、そのような法制化が必要になったならば、パブリックコメントなどを幾重にも実施し、国民が参画できるような立法プロセスを経る必要があったのではないか。

そして、市民社会への科学リテラシーと社会リテラシー方法の拡充により、社会を自立的に動かしていけるようなエンパワーメントを市民社会に与える必要があるのではないだろうか。

そのようなシステム間のコミュニケーションを活性化させるのは、文化システムの働き、教育やジャーナリズムの役割が大きいと思われる。知識を詰め込むだけではない科学教育、産業界を牽引する知財を生み出す科学者の養成だけでなく、市民社会を担う若者を育てるための科学教育が必要なことは言うまでもない。ジャーナリズムも、科学を分かりやすく解説する科学ジャーナリストの養成が不可欠だが、ただ科学知を分かりやすく解説するだけではなく、社会へのインパクトや懸念など、広い視野を持った科学ジャーナリズムが不可欠になるだろう。大学などの教育機関でそのようなジャーナリストの養成が難しいのであれば、新聞社や出版社が協力して養成機関を設立するのも、一つの有効な方策であろう。いずれにしても、脳死臓器移植問題が、日本社会に投げかける問題は、これからの科学と市民の関係のあり方を考えるための試金石である。

第六章　市民社会と科学情報過程論

1. 市民社会とは何か

ここまで、科学情報についての提供を受ける側を漠然と市民社会としてきたが、それでは科学情報へのアクセスの主体としてこの論文で定置している市民社会とは何なのかについて整理しておきたい。植村邦彦の『市民社会とは何か　基本概念の系譜』（平凡社新書）によると、市民社会という言葉は、古代ギリシャではポリスの国家共同体という意味で、ホッブスやロックの論でも国家を含む概念だった。これを文明社会という意味で使ったのはスミスで、ヘーゲルがそれを利己的な市民の「欲望の体系」と定義、市民社会＝市場経済をコアと考える理論ができ、これがマルクスにも受け継がれたという。

日本で市民社会という言葉を使い始めたのは、マルクス主義の講座派に属する学者たちで、日本を封建的な絶対主義国家と規定したコミンテルンの「32年テーゼ」にもとづき、天皇制を打倒してブルジョア革命を行なってから社会主義革命を行なうという「二段階革命」を主張した。この影響により、後に内田義彦や平田清明などの市民社会派マルクス主義が登場し、社交民路線によって政権交代を実現しようとしたのが構造改革派だった。植村らの指摘では、こうした市民社会主義の依拠する市民社会の概念は日本に特殊な議論であり、古い日本社会への嫌悪と西洋社会への憧憬をマルクスに読み込んだものに過ぎないという。資本主義社会とは別の市民社会が歴史的に存在したことはなく、資本主義なき市民社会をアソシエーションとして実現するというマルクスの構想も、ユートピアにすぎず、マルクス主義の没落とともに、日本の論壇から市民社会論も消え去ったと分析している。

しかし近年、コミュニタリアンやソーシャル・キャピタル論の中で、市民社会概念が再評価されている。パットナムはイタリア北部で民主主義が成立した最大の要因を市民共同体にもとめ、民主主義のコアにあるのは自立した市民の連帯だと考える。グローバル化によって国家や企業の力が弱まり、社会が原子的な個人に分解する中で、再び市民社会が論考の中心課題となってきたのだ。日本社会でも、終身雇用制度の中で家族的な企業に国民が支配されるといった時代から、リストラと非正規雇用の中で、労働者が市場原理の中に裸で投げ出されている状況では、市民社会について再考せざるを得ない。ハーバマスの市民公共圏の再評価もそのような日本社会の要請に端を発していると考えられる。また、世界的な格差の拡大にも警鐘が鳴らされており、その解決のためにも、マルクスも再評価される傾向がある。

市民社会論の中で、着目したいもう一つの論考に大衆社会論がある。社会学小事典によると、「大衆社会は、大衆の決定が社会の動向を左右する社会であるが、産業化の進展、さらには大量生産手段、交通・通信手段、大衆操作の手段などの発達によって第二次集団の優位、地位と役割の分化、移動性・匿名性・非人間的接触などの傾向が支配的である」とする。ハーバマスの市民公共圏では、市民は理性的議論で合意に達することができる公衆の側面が大きいが、我々が生きている社会は、その成員が必ずしも理性的に行動する訳ではない。科学知に関する振る舞いでも、いわゆる大衆社会を想定して考察すると、理解しやすい行動を取ることが多い。その一方で、社会性を持ち、理性的に行動するいわゆる公衆もまた存在していると思われる。すなわち、市民社会を大衆と公衆と二分して考察することが必要なのではないかと考える。科学者に関しても、社会参画度の高い市民の側面を持つものと、社会性の強い市民としての性格を殆ど持たない研究者としての性格が強いものが存在する。科学者と市民のコミュニケーションとは、実際は、専門家と市民科学者、大衆と公衆のコミュニケーション過程として分析したほうが、妥当なのではないだろうか。そして、科学情報についての諸活動が、一枚岩ではない市民社会のどの層からどの層に向けての情報発信であるのかについて、分析をすることが有効なのではないだろうか。

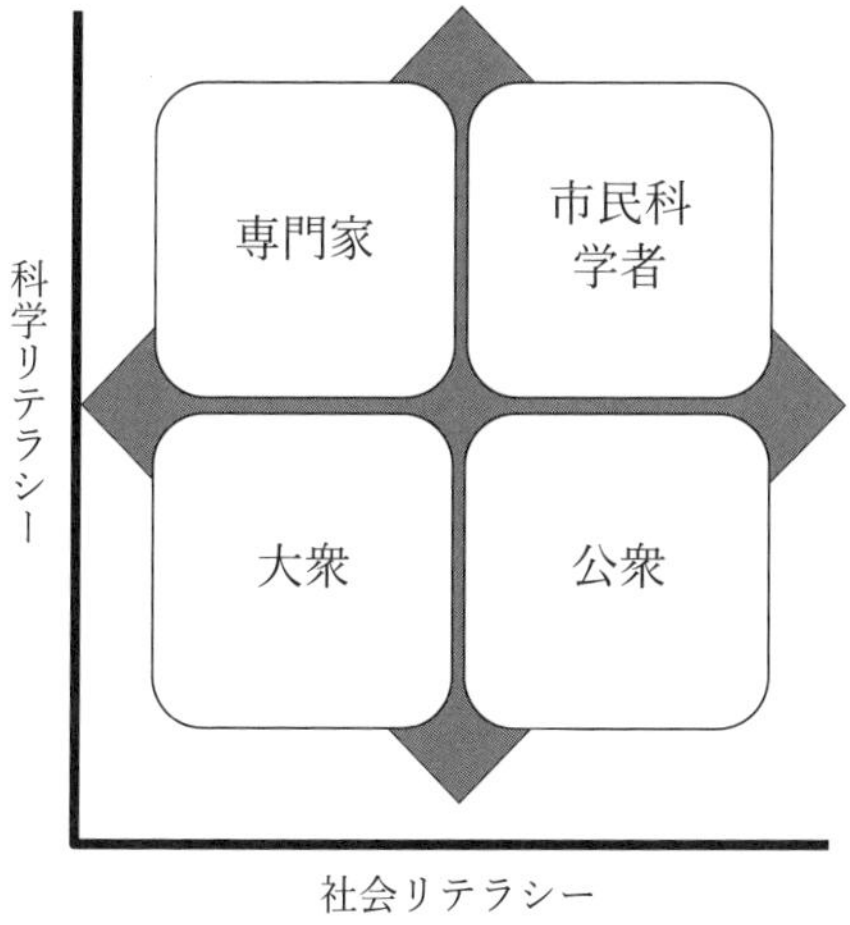

図3　市民社会と科学リテラシー

　ここでは、縦軸に科学リテラシーの程度、横軸に社会的リテラシーの程度を置くと、両方とも高レベルなマトリックスを市民科学者と置く。ここでの市民科学者は、高木仁三郎が提唱した市民科学者という概念に基づく。市民社会が科学をコントロールするために社会活動をしながら、研究も行うような科学者を指す。科学知は高いが社会参画度が低いマトリックスを専門家と置く。科学知は高くないが社会参画度が高いマトリックスを公衆。両方とも低いマトリックスを大衆と置く。科学者も市民社会の構成員なので、市民社会という概念は、このような形に分類することも出来るだろう。

2．文化システム（教育）と市民社会のコミュニケーション

明治以降、日本政府は国民に義務教育を課し、大学を設置していく。板倉聖宣の『日本理科教育史』によると、1872年（明治5年）の学制頒布時に、理科の前身に当たる科目が設けられた。カリキュラム・教科書の編成が文部省主導で進むようになり、1877年（明治10年）頃の科学の教科書には、『物理階梯』『具氏博物学』など、文部省が洋書を翻訳したものが多くなった。1886年（明治19年）の学校令で、いままで複数の学科に分かれていたものが「理科」という一つの科目にまとめられ、実質的な理科の内容が決定づけられたという。1891年（明治24年）の「小学校教則大綱」には、「第八条　理科ハ通常ノ天然物及現象ノ観察ヲ精密ニシ其相互及人生ニ対スル関係ノ大要ヲ理会セシメ兼ネテ天然物ヲ愛スルノ心ヲ養フヲ以テ要旨トス」と記され、このとき、「科学的な考え方の初歩」を教えるのではなく、自然の事物・人工物（道具類）・自然現象について教えるように方針転換され、「目に見えるものの実験・観察」に重点が置かれることになった。1941年（昭和16年）の国民学校発足により、「理科」は「理数科」という教科の中の「理科」（理数科理科）という科目で教えられることとなった。その「国民学校令施行規則」で、「自然の観察」という科目として理科が低学年（1・3年）

から課されることになったほか、「科学的処理の方法を会得せしめ」という記述にもあるとおり、科学的な合理主義に基づいた内容に近づくこととなった。しかし、板倉聖宣の『日本理科教育史』によると、国粋主義的な傾向と矛盾しない「日本的科学」の指導にならざるを得なかったことが指摘されている。戦後、１９４７年（昭和22年）に発足した新制中学校・高等学校も含めて、生活単元学習や問題解決学習という、身近な生活から問題を見つけて解決する形の授業形態が中心になった。次第に「這い回る経験主義」という批判や、基礎学力の低下が懸念された。そこで、１９５８年（昭和33年）告示の学習指導要領では系統学習中心に戻され、その傾向は１９６８年（昭和43年）告示の学習指導要領改訂でいっそう強くなった。「ゆとり教育」の始まりとなる１９７７年（昭和52年）告示の学習指導要領改訂では、再び直接経験を重視する形になり、授業時間数が減らされ始めた。そして、１９９２年（平成４年）度に、小学校1・2年の理科が廃止され、生活科が新設された。これにより、小学校低学年での理科単独の授業は姿を消した。その後、１９９８年（平成10年）告示の学習指導要領で、さらに理科の指導時間数が減らされた。この学習指導要領の実施後、子どもの学力低下が世論で取り上げられるようになった。２００３年（平成15年）に文部科学省が「指導要領に示していない内容を加えて指導も出来る」ように学習指導要領を一部改正し、教科書にも発展的な内容が入るようになり、ゆとり教育が見直され、現在に至る。

環境教育という言葉が現れたのは１９７０年のころである。きっかけは、１９６２年にアメリカで出版された女性科学者のレイチェル・カーソンの著した『沈黙の春』[106]である。農薬の生物濃縮の危険性を訴えた本であった。農薬メーカーは反論を展開するが，当時の大統領ケネディは農薬の危険性の有無についての調査を命じた。これがきっかけで、アメリカで環境問題への関心が高まった。１９７０年のニクソンの大統領教書は環境問題に集中した内容となり、同年に環境教育法が成立している。この法律は時限立法であったため、１９９０年に「新環境教育法」が制定された。

国際的には１９７２年のストックホルムで開かれた国連人間環境会議において提案された人間環境宣言の中で環境教育の必要性が示され、それを受けて１９７５年に当時のユーゴスラビアの首都ベオグラードを会場にして環境教育の専門家会議が開かれた。ここでは環境教育の目的や目標が検討され、それを盛り込んだベオグラード憲章[107]が制定された。さらに2年後の１９７７年にはグルジア共和国の首都トビリシで同じく専門家による国際会議がもたれ、先のベオグラード憲章の再検討が行われ、トビリシ勧告[108]が出された。その後，環境教育への取組みは各国の事情に応じて違いは見られたが、全体としてはスムーズになされたとは言いがたい状況であった。とりわけ、先進国と途上国による経済状況の違いからの環境問題への対応、それに伴っての環境教育の取組みの違いが目立った。しかし、

106 レイチェル・カーソン『沈黙の春』新潮文庫、１９７４年。
107 １９７５年に開催されたベオグラード会議で作成された憲章。環境教育の目標、環境教育の目的、対象など6構成よりなり、環境教育のフレームワークとなっている。
108 １９７７年のトビリシ会議で採択された勧告。環境教育の役割、目的、指導原理、国家レベルでの環境教育開発戦略組織の構造などの41項目。

1980年代からの地球規模の環境問題の顕現化は環境教育への関心を世界的な規模に高めることになった。先に紹介した1992年のリオの地球サミットで出されたアジェンタ21[109]なる行動計画にも環境教育のさらなる推進が盛り込まれた。

日本では環境教育に関して2つの先駆的活動がある。ひとつは1960年代から特に問題になった公害問題に対応した公害教育であり，もうひとつは自然破壊への危機感から出された自然保護教育である。公害教育の場合，すでに1960年代に一部の熱心な教員たちによって子どもたちを公害から守り、公害問題についての認識を高めようという活動がスタート、1967年には全国小・中学校公害対策研究会が発足している。その後1970年に開かれた国会において公害教育の必要性が指摘され、小学校および中学校の社会科の学習指導要領が改訂され正式に学校教育の中で実施されることになった。地方の教育委員会は公害に関する副読本や教師用の手引き書などを作成したが、公害では加害者イコール企業、被害者イコール住民という構図で、企業追及の授業が行われることもあった。

自然保護教育の必要性については1951年に発足した日本自然保護協会によって1957年に「自然保護教育に関する陳述」という形で指摘、1971年に日本生物教育学会も「自然保護教育に

109　ブリタニカ国際大百科辞典によると、アジェンダ21とは、1992年ブラジルのリオデジャネイロで開催された環境と開発に関する国連会議UNCEDにおいて宣言された環境と開発に関するリア宣言を受け入れて採択された21世紀へ向けての行動計画。その内容は（1）国際経済と環境、貧困の撲滅、人口問題などの社会的・経済的側面、（2）大気保全をはじめ森林，農業などの開発資源の保護と管理、（3）主要グループの役割の強化、（4）実施手段などにわたる。

関する要望書」を提出している。全国小・中学校公害対策研究会は１９７５年には全国小・中学校環境教育研究会に改名、環境教育という言葉が定着するのは１９８０年代後半になってからである。地球規模の環境問題がクローズアップされるようになり、日本の環境教育の在り方にも影響を与えた。１９８８年には環境庁の懇談会によって『環境教育懇談会報告』が提出された。１９９１年には文部省によって中学・高校用の『環境教育指導資料』、１９９２年には小学校用の指導要領がそれぞれ刊行され、環境教育に力が入れられることになった。環境基本法（１９９３年制定）には環境教育の重要性が明記されている。環境庁によって創られた子どもエコクラブもその期待される活動のひとつである。なお、１９９０年には環境教育を組織的に研究・実践する研究者や教育者によって日本環境教育学会が発足している。

また、科学リテラシーも子供・大衆を対象に提唱されている概念である。齊藤萌木、長崎栄三の『日本の科学教育における科学的リテラシーとその研究の動向』（国立教育政策研究所紀要第１３７集、２００８年）によると、リテラシーという言葉は、教育学で用いられている用語で、狭義では言語の読み書き能力を、広義では文化全体の理解力を意味する。科学リテラシーは、アメリカで１９５０年代に登場した概念であり、１９７０年代から続く市民のための科学教育実現に向けての取り組みの主要概念として重要である。〝Science for All Americans〟その続編である〝Benchmarks for Science Literacy〟が全米科学振興協会による、科学リテラシー向上のためのプロジェクトの一環として出版され、「科学リテラシーは、自然科学および社会科学、さらに数学および科学技術に関わるものであるが、種々の側面を持っている。自然界に親しみ、その統一性を尊重すること、数学、技術および科学相互の重要な関連の仕方を認識すること、科学の基本概念と基本原理を理解すること、科学的な思考方法を取ることができること、科学、数学、技術が人間の営みであること、その有効さと限界とを知っていること、科学的知識および思考方法を個人的あるいは社会的目的のために用いることができること、等が挙げられる」（〝Science for All Americans〟序文より）と説明されている。

また、UNESCOやOECDといった国際機関でも、新しい科学教育の基本的な枠組みを示すために、科学的リテラシーという概念を用いている。科学リテラシーは、科学理論だけでなく数学および科学技術をも含むものと捉えられ、専門研究者・技術者だけでなく、全ての人が身につけるべきものであるとしている。すなわち、市民社会全体をカバーする教育が必要だと国際社会は理解している。

日本の高校教育では、理系と文系が多くは高校二年時に分けられ、文系は数学なども基礎しか学ばず、物理や化学なども基礎的なことさえ学ばない場合もある。このような文系出身の学生が大人になって、科学のことが分からずに、困惑する可能性も強く、理系の学生だけでなくて、教育における科学教育のあり方を問い直す必要があると思われる。

3．サイエンスカフェの取り組み

日本で行われているサイエンスカフェは、大学などの研究者と市民がお茶を飲みながら科学の研究動向に触れる機会となっていることが多い。中村征樹『サイエンスカフェ：現状と課題』（科学技術社会論研究・5、2008年）によると、最初のサイエンスカフェは、1998年に英国で開催された。これは哲学者マルク・ソーテ（1947～1998）が1992年にパリで始めた哲学カフェにヒントを得ているという。イギリスでは、科学についてより深く知りたいと考える市民によって始められた。サイエンスカフェは、大学等のアカデミックな場所から、やがてカフェ等の一般的な場所へ開催の場を移していった。英国においては、科学理解増進委員会（the Committee on the Public Understanding of Science：ＣＯＰＵＳ）が「市民は科学に対する理解が不足しており、より教化される必要がある」と考えたことも開催の一因となった。カフェに行ってワインを飲み、ゴシップではなく科学の話をしようという運動を、新聞記事は冗談のように扱った。しかしその後、狂牛病や遺伝子組換え食品、クローンなどの話題に対して徐々に市民の関心が高まっていった。

イギリスにおいては、これらの運動の主題は「大衆の科学理解（Public Understanding of Science：ＰＵＳ）」から「サイエンス・コミュニケーション（Science Communication：ＳＣ）」を経て、「科学技術への公衆関与（Public Engagement in Science and Technology：ＰＥＳＴ）」へと進化しているという。同時に高等教育機関の教科としても認められるようになり、行政府の部門、研究機関、教育家などへと影響を広げている。これらの取り組みで重視されるのが、「対話」であり、科学者による一方的な講義や講演ではないという。「対話」を通し、市民の能動的な「参加（engagement）」を促すことが目指されている。サイエンスカフェは、誰でも参加できるインフォーマルな雰囲気で科学について話しあうというものだ。いまではイギリスの多くの都市で行われており、全国的なネットワークも存在する。ロンドンの科学博物館や科学振興協会が関わって新しく出来た科学館では、安楽死、UFO、男性の妊娠、肥満、ガンの治療などについて討論している最新の話題について、コメンテーターを中心に参加者たちで討論をすすめるなど、工夫を凝らした興味深いイベントが実施されている。スピーカーも科学者だけでなく、行政や市民団体からも招かれている。

始まった当初は前衛的と捉えられたサイエンスカフェだが、現在では巨大な産業の一部となっている。英国では、ゲストスピーカーが招かれ、テーマに沿った短時間の話題提供が行われる。ついで、休憩時間をかねたドリンクタイムが設けられ、1時間ほどかけて話題提供者と参加者、参加者同士の質疑、意見交換、議論を行う。フランスでは、話題提供者は3～4名招かれ、短い自己紹介が行われた後、休憩時間を置かずにディスカッションに入る。日本では、2004年に京都市で始まったサイエンスカフェが最初とされている（現在の科学カフェ京都）。翌2005年に、4月の科学技術週間前後から、さまざまなスタイルでサイエンスカフェが実施された。そのため、2005年を日本における「サイエンスカフェ元年」と呼ぶこともある。2006年4月の科学技術週間では、日本学術会議の会員が話題提供者となって全国21か所でサイエンスカフェが行われ、これが日本におけるサイエンスカフェのさらなる普及に大きな影響をおよぼした。運営形態は、単発的なものから継続的なもの、草の根レベルのものから大学等の研究機関や自治体が主催するものまで、多岐に及んでいる。

4．サイエンス・コミュニケーションとシステム間のコミュニケーション

サイエンス・コミュニケーションという活動が始まる原点として、社会問題になり議論されたのがイギリスのBSE騒動である。小林傳司『トランス・サイエンスの時代―科学技術と社会をつなぐ』（NTT出版ライブラリーレゾナンス2007）によると、1986年、イギリスで最初のBSE感染牛が確認され、その後、イギリス全土でBSEに感染した牛が発見されるようになった。1988年、イギリス政府はサウスウッド委員会を設置し、BSEが人間や動物にどのような影響を与えるのか検証した。この委員会では、BSEに関する科学的知見を駆使した調査により、今後の対策について政府に勧告することが求められていた。翌1989年に、サウスウッド委員会は報告書を提出したが、そこでは「今後の見通しとして、BSE感染牛の発生は多くとも1万7000頭から2万頭」「人間への感染の危険性はありそうにない」などと記されていた。そして、この報告書はイギリス政府による対策、例えば感染牛の牛乳の廃棄、肉骨粉使用禁止の継続、特定危険部位のベビーフードへの使用禁止などの科学的根拠となった。しかし、その後もBSE感染牛は増加の一途を辿り、1990年代初

頭には年間3万頭に及んだ。そして１９９６年には、ＢＳＥ感染牛の摂取による、変異型クロイツフェルト・ヤコブ病の患者が確認された。従来のクロイツフェルト・ヤコブ病とは異なり、若年令で病気の進行の早い変異型で、治療法はなく、運動能力の麻痺や神経症状を伴って進行し、最終的に死に至る病である。患者の映像がテレビで報道されたこともあり、人間には影響はないと信じていたイギリス社会はパニックに陥った。また、イギリス以外でも患者が出現し、国際社会においても大きな問題となっていった。イギリス政府は１９９７年にフィリップス委員会という調査委員会を組織し、ＢＳＥ事件をめぐる科学者、行政の対応を検証した。

科学者は、市民のためのサイエンス・コミュニケーションの必要性を痛感し、サイエンスカフェやサイエンス・コミュニケーションの活動を実施するようになった。しかし、市民の科学知識や意識の欠如を強調し、一方的に理解を求める教条的な態度は、欠如モデル[110]として批判されるようになった。理解に取って代わり、市民の意識や参加、対話などが求められるようになったのだ。イギリスでは、新しい科学館が多く建設され、科学技術の情報を提供しようとしている試みや、ＢＳＥ、環境問題など、論争になっているテーマを積極的に扱っている科学館も多い。そして、どの科学館も地域の大学や学校、コミュニティと協力してこうという姿勢が強くみられる。イギリスでは、多くの科学館や科学フェス

110　科学技術が社会一般に支持されない理由は大衆の知識の欠如であり、専門家による正確な知識の啓蒙によって科学技術への支持が得られるという考え方。

ティバルで対話型イベントが実践されはじめ、科学者と市民が直接対話できるイベントが増えている。

サイエンス・コミュニケーションとは、科学に関わる情報のやりとりであり、広義には科学者同士の学術情報の伝達や学会発表、論文執筆なども含まれる。日本では一般化していないが、狭義では、科学者と市民とのコミュニケーションを指して、サイエンス・コミュニケーションと呼ばれるようになってきている。

サイエンス・コミュニケーション活動の基盤になるのが、1999年の世界科学者会議で採択されたブダペスト宣言[111]である。文部科学省の翻訳[112]によると、宣言では、「21世紀における科学の責務は『知識のための科学』に加えて『社会における科学、社会のための科学』である」としている。この会議が開催された背景には、地球環境問題がある。科学技術の負の側面に対しても、科学技術の適時・適切な利用なくしてはその問題は解決できないものであり、そのためには科学界や産業、政府、国民が同じ場に立つことが必要である。会議では21世紀のための科学を進める上での新たな責務として、「科学と科学的知識の利用に関する世界宣言」及び「科学アジェンダ - 行動のためのフレームワーク」が採択された。

111　1999年7月、国連教育科学文化機関（ユネスコ）と国際科学会議（ICSU）の共催によりハンガリーの首都ブダペストで開催された世界科学会議（ブダペスト会議）で採択された宣言。

112　文部科学省。http://www.mext.go.jp/b_menu/hakusho/html/hpaa200401/hpaa200401_2_014.html

同宣言の前文には、「科学は人類全体に奉仕するべきものであると同時に、個々人に対して自然や社会へのより深い理解や生活の質の向上をもたらし、さらには現在と未来の世代にとって、持続可能で健全な環境を提供することに貢献すべきものでなければならない。」との記述があり、さらに、「今日、科学の分野における前例を見ないほどの進歩が予想されている折から、科学的知識の生産と利用について、活発で開かれた、民主的な議論が必要とされている。科学者の共同体と政策決定者はこのような議論を通じて、一般社会の科学に対する信頼と支援を、さらに強化することを目指さなければならない。」と表明、21世紀の科学の責務として、これまでの「知識のための科学」のほか「平和のための科学」、「開発のための科学」、「社会における科学と社会のための科学」という、4つの概念を打ち出した。「科学アジェンダ - 行動のためのフレームワーク」は、宣言の内容を具体化するために、政府や科学者コミュニティ等の取るべき行動が示されたものである。

日本におけるサイエンス・コミュニケーションの啓発のために組織された日本サイエンス・コミュニケーション協会では、設立理念で「サイエンス、広い意味での科学をめぐる状況は新しい時代に入っています。これからの社会では、一人ひとりがサイエンスに関心を持ちながらその本質を理解し、自分なりにうまく活用するサイエンスリテラシーを養うことで、社会がかかえる課題に主体的に関与し、判断していくことが求められます。サイエンスは利便性だけでなく、精神的に豊かに生きるための糧、文化ともなりえます」としている。

現代社会が直面している多くの問題の解決には、科学の知見を無視することは出来ない。従って、科学知にもとづく社会的問題の解決と、科学技術のあり方に対する社会的意思決定が重大な課題となってきている。重要な問題についての決定を科学者任せにしておくのは、危険すぎる。科学者も無知な大衆に啓蒙するといういわゆる「欠如モデル」から、非専門家である市民と協働して課題を解決していく方向に舵を切る必要があり、コミュニケーションの双方向性が求められるようになってきた。従来の大衆への啓蒙活動のように、市民の科学リテラシーを高めるだけではなく、科学についての認識・判断を市民から受け取り、科学者の社会的リテラシーを高めること、さらには、科学と社会の望ましい関係のあり方について、市民と科学者がともに考え、施策を決定していくことまでを視野に入れた活動が求められるようになってきた。科学時代の民主的市民社会における意思決定のためのコミュニケーション活動として、サイエンス・コミュニケーションが位置づけられているのだ。

5. 科学ジャーナリズムについて

科学ジャーナリズムは、ジャーナリズムの一分野であり科学に関する話題を市民に伝達する役割を担う。マスメディアを通じて科学的知識を市民に伝達するためには、科学コミュニティとマスメディアとの間に特別な関係を必要とする。科学ジャーナリストの主な役割は、専門的で非常に詳細な情報を、市民が理解できる形に翻訳することである。科学ジャーナリストの多くは科学分野を専門的に学んでおらず、増え続ける複雑性と専門性を増す科学報道のあり方が問われている。これは、社会の中で科学の役割が比重を増す中で、科学コミュニティとマスメディアの関係がますます強まってきたことも一因となっている。

科学とメディアの方法論は大きく異なる。すなわちジャーナリズムは扇情的な題材や憶測へ偏る傾向があるが、科学は事実と実測を重視する。ジャーナリズムは、新奇性や社会へのインパクトをニュースバリューと見なすが、このような扇動的な姿勢は仮説検証を前提とする科学にはあり得ない。不正確な報道は跋扈し、通説に対する反対派の見解も、ニュースバリューがあれば引用されることも珍しくない。ＳＴＡＰ細胞に関する一連の報道も、科学ジャーナリズムはどうあるべきか、コンセンサスがない状態で、専門研究機関や科学ジャーナルに正統性を担保するしかない科学ジャーナリズムの、危うさが露見した事件だった。

また、科学的な新発見や新技術の情報は、企業の株価操作としてジャーナリズムに提供されることも多い。新聞社や雑誌社も、この種のニュースを株価を気にしている個人投資家向けのサービスとして歓迎している関係にある。しばしば、これらの科学情報はセンセーショナルであり、信用性に乏しい場合もある。科学ジャーナリズムに関わるジャーナリストやデスク、編集長が、どこまで最新の科学研究の動向を理解しているのか疑わしい場合も多く、科学ジャーナリズムの信用性を低くしている。

放射能の被害に関する報道に関しても、少しでも被爆の可能性があれば買い控えなどを行いたい消費者である市民と、安全性に科学的な基準を設けている科学者との間で、各種メディアの報道の足並みは揃わず、センセーショナルな報道による、いわゆる風評被害と呼ばれる現象も生じている。しかし、風評被害なのか、本当に危険なのかに関しては、科学者も確率的な見解を出すことしか出来ないため、何のため、誰のためのメディアなのか市民サイドでは深刻な問いが生じている。

政府の発表を垂れ流しにするマスメディアの科学ジャーナリズムを信用しない市民は、インターネットに独自のサイトを作ったり、ホームページを立ち上げたり、信頼できる計測を行う機関のサイトを閲覧したりと、自衛策を講じるようになっており、マスメディアの提供する科学ジャーナリズムに対する信頼度は相対的に低まっている。

6. 市民社会と科学情報過程論

日本で科学者と市民の対話は何故進まないのだろうか。一つは欠如モデルが未だ幅を利かせているからだと思われる。市民は科学の素晴らしさを知らないので、科学の素晴らしさを教えれば、反感などはなくなるという考え方である。国内で行われているサイエンスカフェの多くは大学教員が、自分の研究を分かりやすく解説し、科学好きの市民や学生が拝聴するという作りになっている。多くの科学館などでのサイエンス・コミュニケーター養成は、子供の自由研究の支援や、環境問題などをやさしく伝えられる人材育成に堕している。サイエンス・コミュニケーターの養成に関わっているスタッフでは、社会の中の科学のあり方を問い直すといった根本的な姿勢を示すのは難しい。例えば原子力発電に関して知りたい市民には、原子力発電の仕組みや、放射線に対する知識を理解させ、アレルギーを無くすという働きかけしかできないことが多い。

サイエンス・コミュニケーターの養成が様々な機関で行われているが、例えば国立科学博物館での養成は、第3期科学技術基本計画における「科学技術を一般国民に分かりやすく伝え、あるいは社会の問題意識を研究者・技術者の側にフィードバックするなど、研究者・技術者と社会との間のコミュニケーションを促進する役割を担う人材の養成や活躍を推進する。」との政策にかなった内容である。国立科学博物館のミッションは、「自然科学と社会教育の振興を通じ、人々が、地球や生命、科学技術に対する認識を深め、人類と自然、科学技術の望ましい関係について考察することに貢献すること」であり、そのひとつとして、「人々の科学リテラシーの向上に資する事業を実施する。」ことが目標となっている。「本講座の修了・認定者は、研究者や博物館・科学館職員等の特定の分野に限らず、教員、メディア、政府機関（広報担当）等、社会の多様な場面に輩出されており、加えて、講座修了後もアウトリーチ活動の推進や博物館・科学館における展示企画、解説等の活動など、社会の様々な場面で活躍していることからも、相当の社会的貢献を果たしていると評価できる」としている。つまり、科学版学芸員の養成になっている。科学を自明のものとして捉え、それを分かりやすく市民に解説・展示するという姿勢は「欠如モデル」として批判されてきている[113]。

113　『科学コミュニケーションのモデルおよび概念』Jane Gregory、Melanie Smallman、Brian Trench、Declan Fahy、Joan Leach、Rick Holliman、Jeff Thomas、Steve Miller、Baudouin Jurdant、Elsa Poupardin、The European Network of Science Communication Teachers(ENSCOT) 2003年6月に詳しい。

科学技術庁は、科学者の人材育成を目標としたサイエンス・コミュニケーションの普及を目指している。日本は資源のない国で、あるのは人的資源だけだと言われて久しい。科学技術白書のサブタイトルが「世界で一番イノベーションを行える国をつくる」なので、もはやサイエンス・コミュニケーションは国策となっている観がある。イノベーションが社会を幸せにするとは限らず、可能性としては間逆のイノベーションが社会や環境に有害に作用することもありえる。このように根源的に科学のあり方を問う力を持つためには、養成するサイエンス・コミュニケーターに、社会科学的なスキル、リベラルアーツの素養が必要なことは言うまでもない[114]。

日本で行われている科学情報過程について概観してきたが、何が課題なのかについて市民社会論を援用して分析していきたい。科学教育に関しては、多くは子供や若者に対するもので、科学知が欠如しているものに、科学知を教授・啓蒙する活動になっている。すなわち、欠如モデルが該当する。公害教育の時代には存在した社会的なアプローチも、国内の公害が終焉して地球環境問題がメインテーマになっていく中で、地域の環境を大切に、省エネエコな生活をという路線に移り変わり、科学と社会の関係に関して、例えば産官学の癒着などの問題が指摘できるようなシステム間のコミュニケーションの視点が抜け落ちている。

114　日本学術会議科学・技術を担う将来世代の育成方策検討委員会『提言　科学・技術を担う将来世代の育成方策～教育と科学・技術イノベーションの一体的振興のすすめ』２０１３年に詳しい。

科学リテラシーに関しては、大衆と公衆に向けられたものであることが考えられる。現在の日本社会で行われている科学リテラシーに関しては、欠如モデルのもとで科学知の提供に偏っており、科学知が欠如している大衆向けの啓発活動だと考えているケースが多い。現代、求められているのが、大衆を公衆に変えていくつまり、リベラルアーツの知識や社会常識なども補って、社会参画度を増していくようなアプローチである。逆に、科学知に関しては熟知していないものの、社会参画度の高い公衆にとっては、従来の啓蒙型の科学情報では物足りないということになる。知識だけでなく、政策決定過程や企業の活動方針に関しても、自身の意見を反映させたいと考えているからだ。

サイエンスカフェに関しては、マトリックスでいうと専門家と大衆との科学知に関する啓蒙活動のように日本では機能しているケースが多い。多くは大学の研究者が市民向けに自分の実施している研究内容を噛み砕いて説明するというものだ。イギリスやフランスのように、科学と科学技術に関する社会問題を専門家と話し合うといった傾向のものは見られない。専門家と市民科学者、大衆と公衆がせめぎ会うような出会いの場を演出していく必要性が高いのではないだろうか。

サイエンス・コミュニケーションに関しては、イギリスのように大衆受けする娯楽色の強いものから、公衆が科学政策にコメントできるレベルのコミュニケーションまで多種多様な活動が行われているような状況ではない。大学や科学館が、学芸員や教員の養成や、科学館で活動する補助員の養成を行っている段階である。公衆と、市民科学者との交流をより盛んにし、科学の動向について、科学技術の動向について、意見を持てる市民の割合を増やしていく必要があると思われる。

筆者は、社会システム論を援用して、科学知と社会の構成要素である、経済システム、政治・法システム、文化システム、市民社会とのコミュニケーション過程として科学情報過程論を提唱している。今回の、論文は以下のモデルの市民社会をより、詳細に分類して考察を試みたものである。従来の市民社会論では、市民社会は公衆から成立しているように描かれることが多かったように思われる。ハーバマスの公共圏を担う市民は、理性的な対話が出来る公衆であることは疑いもなく、ヨーロッパの理性中心主義として、ハーバマスは多くのポストモダン学者から批判されたことは記憶に新しい。

社会システム間のコミュニケーションを円滑に進めることにより、市民社会の科学知や科学技術についてのコントロール可能性を高めることを志向している。これからの科学情報過程の円滑化に関しては、経済システムに身をおいている市民、政治・法システムに身をおいている市民、文化システムに身をおいている市民が存在する、市民社会（公共圏）が、市民科学者だけでなく科学知を担う専門家と分類した科学者についても、コミュニケーションの可能性を探っていく必要性があるだろう。その際には、大学におけるリベラルアーツの教育が欠かせない。科学の専門家を養成する課程に、社会参加度、社会に対する責任や倫理、政治・経済状況を批判的に認識できる能力が不可欠なのではないだろうか。

複雑に絡み合った現代社会のコントロールを市民社会が担うためには、教育が大きな役割を担うべきであると考える。科学教育については、科学知の注入だけではなく、社会参画といったリベラルアーツに連なる側面も、重要になるだろう。多様なコミュニケーションを活性化するためには、各システム間のコミュニケーションの円滑化、活性化が不可欠である。市民参画による、科学情報過程の活性化の方向性をこれからも探って行きたい。

第七章　まとめ・政策提言

1．はじめに

以上、第一章で分析装置を提示、第二章では専門知を象徴する大学と諸システムとのコミュニケーション過程を分析、第三章では科学知の公共的性格について論考した。第四章では、地球環境問題にみるグローバルな科学情報過程について分析し、第五章では脳死臓器移植と科学情報過程として、市民社会を置き去りにしたシステム間のコミュニケーションについて指摘した。第六章では、科学情報へのアクセスや社会的コンセンサス形成の主体となる市民社会について、科学知や他の社会システムとのコミュニケーションの現状や課題について考察した。第七章では、これらの分析を踏まえ、それぞれの章の分析・考察を通して何が課題であるかを抽出し、それらの知見を統合して、今、科学情報過程はどのような状況にあり、どのような施策が不可欠であるのかの政策提言を試みることとする。

まとめ

第一章を概観して

第一章では、有機水銀の生体濃縮が原因である水俣病という公害病が、どのような社会的なプロセスで解決されていくのかを、システム間のコミュニケーション過程として描出した。文化システムとしてのマスメディアが問題を市民社会に周知させ、市民社会では公害対策を求める市民運動や、被害患者を支援する市民運動が生まれた。そして、それら市民社会や法・政治システムの担い手でもある弁護士などが、公害裁判として提起し、裁判で国が敗れ、企業責任が追及された。すなわち、企業の営利活動という経済システムの中で生じた公害問題が、市民社会や文化システムにより認知され、裁判という法・政治システムとのコミュニケーションにより、公害基本法制定などの果実を生み出し、法・政治システムが経済システムとのコミュニケーションにより、公害を除去する環境基準などの法制度や、公害を防止する諸装置を生み出し、公害問題は解決していくというプロセスを取った。

このことから、科学知は技術として応用したり、疫学的に解明しなければ企業責任が追及できない未知の病として登場した場合、それを社会的に無害化したり、市民社会への周知度を高めるためには、システム間のコミュニケーションという見方が重要だと言える。第六章で詳しく見たが、現代日本の科学情報を巡る状況は、公害の時代のように、市民社会が能動的に他の社会システムに働きかけて、改善や促進あるいは廃止といった処置を取るようにはなっていない。市民社会は経済システムの中で消費者としてしか扱われていない。

そのような状況では、今の科学技術文明の中で生きている市民の健康や安全がいつ脅かされるかもしれない。第一章では、科学情報過程の原点として、公害問題という市民社会が能動的に各システムとのコミュニケーションを取った時代を振り返り、今日、何が必要かということを示唆できたと思われる。そして、科学と社会の関係を考える際に、システム間のコミュニケーションという概念が有効であることを示せたと考える。

第二章を概観して

第二章では、科学知を担う専門家の集団として、大学の理系学部を想定した。そして、まずは西洋の大学において科学がどのように正規の学部として導入されていくか、逆を言えば大学というものがリベラルアーツを教授する専門機関であり、コスモポリタン的な性格を持っていたものであることを示した。理系の学部は、科学技術の発達を見て、遅れて出来たものであり、大学内の地位は高くはなかった。その後の科学研究においても、理系の学生であってもリベラルアーツを学ばせるのが、西洋の名門大学の方針であり、日本のように教養を軽視する姿勢は顕著ではない。また、研究者はグローバルな知の共同体に属し、欧州のエラスムス計画やソクラテス計画などのように、学問に国境はないというのが西洋の大学の在り方である。国民国家に奉仕するという考え方は、大学に普遍的ではなかった。

西洋とは異なり、日本の大学では明治の創立時から、理系学部が存在した。そして、明治政府の殖産興業の一翼を担っていた。官僚には帝大法学部出身者が多く輩出されており、理系学部出身者は技官としてその下で働くという傾向が強かった。そんな中で、戦争は日本国内の科学者の社会的地位を向上させるよい機会であった。そのため、戦前・戦中と科学者たちは翼賛的な組織に属し、軍事研究に従事することが多々あった。戦後も、そのような戦争中の軍事研究や翼賛会への積極的参加は、戦争犯罪とは見做されなかったので、戦後も戦前・戦中に活躍した科学者たちが、科学界を牽引することになった。

そんな中で、産学協同を左翼が批判したのが60年代だった。大学構内には、自主講座などが開催され、市民に開かれた科学が目指された。それは、反公害運動などとしても盛り上がりを見せたが、大学を市民に開放するという方向性は、今ではどこの大学でも実施している。文部科学省は、COCやCOC+などで地域の中核的な存在に大学を位置づけようとしている。その中で、科学知は、グローバルな存在となり世界に開かれた学問を目指す一方で、特許などの技術を応用したい地域の中小企業にも、環境やバイオなど幅広く知りたい市民にも開かれた存在になるべきであることを示唆できた。

そして、世界と地域に開かれた存在に科学知の代表でもある大学がなるためには、理系の学生、研究者たちがリベラルアーツを身につけ、社会性を持つことが重要であることを示した。

第三章を概観して

第三章では、DNAは誰のものかと題して、人類が生命の設計図であるDNAをどのように読み取り、その情報がどのように使われているかについて、概観した。また、DNA組み換えに関してはどのような危険があり、どのように研究者はその危険防止に取り組んでいるかを示した。まず、DNA読解は世界各国の協力のもので行われ、多くのDNA情報は公的な性格を持つものとしてデータバンクに登録されている。しかし、アメリカの裁判では、人工ＤＮＡに特許を与える判決も出ており、ＤＮＡ情報がどこまで公的なものであるかに関しては意見が分かれている。また、ＤＮＡの組み換えにより、植物や動物など組み換え生物が地球上に広範に栽培・飼育されており、環境への影響が懸念されるようになった。

しかし、現状ではこれらの組み換えを取り締まる法律は存在せず、科学者はゲノム編集で、自由に遺伝子組み換え生物を作ることが可能である。また、ｉＰＳ細胞などの万能細胞の発明により、遺伝子を組み換えたあらゆる組織の培養が可能になっており、医学の進歩も日進月歩である。ＤＮＡ情報を解析することで、遺伝病や才能など様々なことが判明しており、アメリカでは遺伝子情報による就職などの差別を法で規制している。また、妊婦の血液を調べることで胎児の染色体異常が判明する検査法や、ＤＮＡによる犯罪捜査など、ＤＮＡ情報の利用は社会の様々な方面に及んでおり、社会的なインパクトは大きい。

また、植物に関しては、従来の育種から様々な生物のＤＮＡを組み込んで、除草剤への耐性などを持った組み換え作物が生み出され、世界の相当な面積で栽培されるようになった。これらの作物が、環境にどのような影響を及ぼすか、人体にどのような影響を及ぼすかに関しても未知数であり、地球環境や生態系にインパクトをもたらしかねない組み換え作物に関しても、懸念する声がある。しかし、遺伝子組み換え作物の導入に関しては、法的な規制がない国が多く。農家が望めば種子メーカーは組み換え作物の種子を販売しているのが実態である。

このような状況にも関わらず、どのように公共的な性格が強いDNA情報を管理し、運用するか、そしてその情報化社会における遺伝情報に対して、市民社会はどのように対応していけばよいのか社会的コンセンサスは存在せず、法的規制も科学技術の後追いでしかない。科学情報と社会のかかわりを、再考することが不可欠であろう。

第四章を概観して

第四章では、地球環境問題と科学情報過程について考察した。第一章で公害を対象にして科学情報過程をシステム間のコミュニケーションとして描出したが、第四章では公害の時代から環境の時代への移り変わりの中で、環境問題に関しての科学情報がどのような社会システムのコミュニケーションを経て、政策や経済活動、市民生活にリンクしているのか、分析し、問題点を抽出した。

公害の時代では、文化システムのマスメディアによって啓発された市民社会が法・政治システムとの裁判を通じたコミュニケーションにより、公害を規制する法制度が整備され、経済システムに働きかけることで、公害企業がなくなり、汚染の除去装置などの開発実用化が進み、公害問題は終息していった。公害の時代のシステム間のコミュニケーション過程は、科学知と経済システムのコミュニケーションのみが特出していたが、それが社会システム間のコミュニケーションが円滑に行われることにより、適正な関係性を取り戻すことができたとも言える。産学協同から市民社会の参加への動きである。

環境の時代では、まずは酸性雨問題のように、汚染が国境を超え始めた。欧州では、ヨーロッパ諸国で汚染問題に取り組む契機が生み出され、対策が講じられるようになった。環境問題はグローバルに取り組む必要があり、欧州の科学者と市民は国境を超えて連携し、グローバルな公共圏が生み出された。そして、チェルノブイリ原発事故により、このようなグローバルな環境問題への取り組みは決定的になり、ドイツなどでは、反原発を推進する緑の党などの環境問題を主目的とする政党が多きな力を持つに至った。また、グリーンピースなどのＮＧＯが活発に活動し、国連会議にもオブザーバーとして参加するに至っている。

地球環境問題では、二酸化炭素濃度を計測したり、温暖化の危険性を研究する科学者たちが国連の下で国際的に協力して世界の世論を構築するのに役立った。京都議定書など、国ごとの二酸化炭素排出量の削減を定めるような枠組みも生み出されるに至った。しかし、日本国内では、市民たちが欧州のように、政治的に動くような風潮は見られず、市民社会は環境企業の生み出すエコ製品を買い続けるエコ消費者として位置づけられてしまっている観がある。市民社会は非政治化され、グローバル公共圏に対応する、日本国内の公共圏の構築には課題があるという印象だ。

第五章を概観して

第五章では、日本国内の医師たちが、脳死臓器移植を実施するために脳死臓器移植法を成立させたが、市民社会のコンセンサスが得られず、移植件数が伸びない現状を分析した。いわば、市民社会抜きの科学情報過程がここに存在するといっても過言ではない。専門家たちは法・政治システムに圧力をかけ、議員たちが法案を国会にあげ、議決された。文化システムを代表する有識者たちが、脳死臨調という脳死臓器移植の是非を検討する会議に出席し、議論を重ねたが、多くの有識者たちが人の死を脳死と法律で定めることに懸念を表明した。文化システムから市民社会への啓蒙活動もあまり見られず、むしろ意識のない家族を介護する親たちから、脳死基準への批判がなされる状況だった。

脳死が人の死と定義できるのかについては、科学的にも多くの科学者から反対意見や批判が相次いでいる。脳死が科学的に正しかったとしても、心臓死が人の死と長年みなしてきた市民社会が存在したとき、科学的正しさ=社会的正しさとなりえるのかについては疑問を覚える。これは、原子力発電所についても同様で、科学的に安全かどうかが稼動の基準ではなく、地域住民が反対か賛成か、あるいは国民が原子力発電に関してどう判断するかが重要なのではないだろうか。

脳死を人の死としたいのであれば、まずはマスメディアなどの文化システムに働きかけるなどし、市民社会の死生観をゆっくりと変えていくプロセスを経るべきであったのではないだろうか。それを抜きにして、市民社会不在での専門家と法・政治システムのみのコミュニケーションで立法してしまうというのは、将来に禍根を残したといわざるを得ないのではないだろうか。科学情報過程として、脳死臓器移植法案の可決および、脳死臓器移植は、大きな課題を残していると思われる。

第六章を概観して

第六章では、科学情報過程を分析し、コミュニケーションプロセスとして望ましいものを提示するために主役となる市民社会について概観した。市民社会という語は、マルクス主義的な用途や、フランクフルト学派のハーバマスによる用途、大衆社会論の中の用途など様々であり、市民社会観も一元的ではない。その中で、いまや労働にしても環境にしても、福祉にしても公共セクターの整備が課題になっており、市場ではない公共的な市民圏の存在なくしては、社会現象は語れない存在になっている。マルクス主義の定義した市民社会論は下火になったが、市民公共圏という概念の重要性は増していると考えられる。

そして、科学知と市民社会とのコミュニケーションの方法には様々なものがあり、実行されている。まずは、サイエンス・カフェであるが、これは科学者とお茶を飲みながら科学研究について話を聞くというようなもので、日本においては大学の先生方と市民との対話が殆どである。サイエンス・コミュニケーションという新しい対話を重視した科学者と市民の対話の場も設けられつつあるが、サイエンス・コミュニケーターが科学版の学芸員というような位置づけなので、どうしても科学を市民に分かりやすく啓蒙するという姿勢から抜けられず、市民社会と科学知の対話というような方向性は少ない。科学教育に関しては、スーパー・サイエンス・ハイスクールなど、国際レベルの科学研究を行う科学者の育成が目されており、市民社会の科学へのアクセスを向上させるようなものではない。日本における科学知と市民社会の間のコミュニケーションはまだまだ不足しているといわざるを得ない。

2. 各システム間のコミュニケーションについて

以上のような分析から見えてきた各社会システム間と科学知とのコミュニケーションの現状と課題について以下、考察していきたい。

経済システムと科学知とのコミュニケーションについて

日本社会は、戦後、護送船団方式と呼ばれる産業界と行政が密着した経済政策によって高度経済成長を成し遂げている。その意味で、経済システムと法・政治システムは癒着していたといっても過言ではないだろう。そして、大学という知を担う学についても、高度経済成長を遂げる企業への技術や新物質などの開発で貢献していた。いわゆる産官学のよくいえば密接な連携、悪く言えば癒着が当然であった。

そのような産官学の連携に批判が生じたのが、第一章で見てきたように公害問題であり、文化システムを代表するマスコミと市民社会が産学連携を批判した。そして、水俣病に関しては、生体濃縮という新しい現象が科学知として認識され、裁判所も疫学的な科学者の研究に基づいて判決を下し、科学知は各システムとの新しいコミュニケーションを得ることができた。

現在では、再び産学連携の必要性が叫ばれている。日本は科学技術立国であり、新しい特許を活用した産業育成が課題となっている。そのため、文部科学省は、文系の予算を削って理系の学部に回すこと、また社会批判を行う文科系の学者や学生は不必要と考えている可能性もあると思われる。

しかしながら、第二章の科学知と大学で見てきたように、健全な社会にリベラルアーツの存在は不可欠である。欧米の定評ある大学はリベラルアーツを大切にしている。科学知が生活全般を覆うこの時代に、科学研究に携わる理系の学生にこそ、リベラルアーツが必要なことは言うまでもない。

法・政治システムと科学知とのコミュニケーションについて

このコミュニケーションに関しては、主に第五章で述べた問題があげられる。すなわち、市民社会抜きの法・政策の実施である。皆が周知しているように医師会は、日本の有力な圧力団体であり、自民党は医師会の意向を尊重してきた。物心二元論に立つ西欧においては、脳死を人の死と抵抗なく受け入れ脳死臓器移植はスムーズに医療技術として定着した。しかし、日本社会では、人の魂は心に宿るなどと考えられており、脳の不可逆的損傷が死であるというのは、受け入れることが難しい文化的な背景があることを第五章で示した。

しかし、世界の最先端の一つに免疫抑制剤を利用した脳死臓器移植があり、日本医師会もこれに参加したいという意向があった。従って、市民社会を啓蒙し、脳死を人の死と法律で定義する道を進んだのだ。

例えば、ヒトクローンの作成は法的に禁止されている。このような法規制に関しては、市民社会も何ら批判するところではないだろう。第三章で論じたが、ヒトクローンの作成は、人間の尊厳に反することだと常識で判断がつくからである。ヒトの受精卵を実験に使うことに関しても、市民社会の拒否感は自明であろう。

政策提言の項でも述べるが、市民社会がコンセンサスを持ってないような科学知や技術を科学者は法制化するように動くべきではないと考える。市民社会が納得するまで、市民社会と科学者がコミュニケーションを重ねるのが望ましい。それを抜きにした立法の働きかけは、市民社会の懸念を高めるだけであろう。

原発の再稼動を住民が認めないような裁判においても、科学者が安全と言えば裁判所は住民の要求を却下することがこれから増えるであろう。しかし、これに関しても、本当にそのような科学的研究は妥当なのか、福島第一原子力発電所の事故以降、科学者は踏み絵を踏まされているような状態なのではないだろうか。

文化システムと科学知とのコミュニケーションについて

　このコミュニケーション過程で重要なのは、マスメディアと教育である。第一章で見てきたように公害問題ではマスメディアが市民社会の啓発活動に大きな役割を果たした。第四章で見てきたように地球環境問題の啓発に関してもマスメディアは大きな役割を果たしている。マスコミのジャーナリストたちは殆ど文系出身であり、科学のことがよく分からない場合が多い。脳死臨調の際でも、ジャーナリストの立花隆の書物はベストセラーになった。なぜなら、医師や研究者の使う専門用語が全く市民には分からなかったから、それを噛み砕いてくれる書物が要求されたからなのだ。新聞社や出版社、テレビ局などの既存のマスコミが、自社の科学担当の記者を教育するシステム、あるいは市井の科学ジャーナリズムを底上げする必要があるだろう。

　よく、科学を文化にという声が上がり、第六章でも見てきたように、サイエンス・コミュニケーター養成の必要性が叫ばれている。これだけ科学と科学技術に囲まれた生活をしていて、これだけ科学製品のことが分からない時代もない。健全な未来社会のために、文化システムと科学知のコミュニケーションを担う人材、コミュニケーションのルートの確保は喫緊の課題である。そのためには、教育の役割が重要になるだろう。

　今後、ますます科学知は社会を覆っていく。ＩＴにしてもしかり、ＤＮＡ組み換えにしてもしかり、生殖医療もしかりである。そのような科学技術文明を、どう理解し、どのような方向性を持たせるか、持たせないかを、市民社会が何らかのコンセンサスを共有する必要性が増す。その際に、文化システムの重要性が再認識されていかねばならないだろう。

そのためには、科学知を体現している大学が、コミュニケーション機能を果たすことが一層求められていくだろう。ＦＤなど大学の教育の改革が進められている。大学教員は、学生だけでなく、市民社会への科学知のコミュニケーションを一層取っていかなければならない。その際には、六章で述べたサイエンス・カフェを越えた社会リテラシーを踏まえた取り組みが不可欠となるだろう。

市民社会と科学知とのコミュニケーションについて

第六章で見てきたように、様々な市民社会と科学知とのコミュニケーションが図られている。サイエンス・コミュニケーションやサイエンスカフェにも見られる科学知の伝達側の姿勢は、六章でも論じてきたとおり、市民社会は無知であり、科学の正しい情報を啓蒙すればよいというものにならないように留意すべきだろう。第五章のでも述べたように、科学的正しさ＝社会的正しさとは限らない。科学的に正しくても、社会がそれを拒絶すれば、そのような科学技術は実用化されるべきなのか。今は、科学の情報を持っている側が、科学の情報を持っていない市民に情報を伝えるという一方向の科学情報過程しか存在していないが、市民社会と他の科学情報を持つシステム間のコミュニケーションは主に、文化システムのマスメディアと教育が担っている。文化システムの役割は強調されるべきであり、どう活用していくかが円滑な科学情報過程論として不可欠な視点となるだろう。また、市民社会から科学知のあり方について他システムに影響を及ぼすような、双方向のコミュニケーションの必要性があるだろう。

各システム間のコミュニケーションについて

市民社会から文化システムへの情報過程は、ＩＴ技術の革新によって双方向になり情報量も膨大なものになった。コミュニケーション過程は大きく変化している。しかし、文化システムを担う表現者の多くは文系なので、流れる情報は科学知ではないケースが殆どだろう。多くの科学者たちが自分のホームページなどで、意見を述べたり、情報を公開したりするようになってきている。原子力資料室のように、ネットで様々な情報を閲覧できるようなサイトも整備されていきている。

市民社会が法・政治システムに対して働きかけることは現状の日本では難しい。原子力発電所の再稼動に批判的であっても、なかなか訴訟の提起はハードルが高く、また議会などに働きかけたくても、野党議員が首長に質問してくれるぐらいにはなっても、それ以上の政策への影響はなしえないだろう。原子力発電に懐疑的な議員を選挙で投票する、あるいはそのような議員に政治献金をしたりボランティアとして支援するなどが実際的な行動半径になるだろう。

では、市民社会と経済システムのコミュニケーションはどうだろうか。四章でも見てきたように、日本社会においては、市民社会の成員が直接経済システムを左右するのは難しい。欧米では、消費者運動が盛んで、消費者の監視の下に、企業は正しい経済活動をするように圧力がかかる。しかし、日本においては、消費者運動は生活協同組合を作る程度の力しか持たず、市民社会の側から経済システムの方向性を左右することは難しい。地球環境問題においては、欧米の社会では市民運動が盛んで、市民運動が企業に様々な要求を行っている。日本においては、市民社会は消費者という位置づけしかないように思われる。賢い消費者とかおだてられて、エコ製品の新製品を次々と購入させられていくという構図である。欧米のような双方向型のコミュニケーションを市民社会と経済システムは取るように市民社会がエンパワーメントする必要性があるだろう。

それらのコミュニケーションを機能させるように市民社会をエンパワーメントするには、文化システムの力が大きいだろう。特に、マスメディアと教育が重要な役割を果たすだろう。以下、文化システムの期待される役割について、政策提言を行いたい。

3．政策提言

はじめに

まずは科学情報過程として、科学知と社会諸システムのコミュニケーションを概観する視点が必要だと思われる。従来のトランス・サイエンスの分析では、科学と社会の対応関係を考察できても、市民社会と経済システムが同じ社会という枠でくくられており、実社会の状況を上手く説明しきれないと思われる。

当該論文の分析装置を使えば、産業社会の中で、市民社会が客体にされている状況が一望できる。高度資本主義社会の中で、電気機器はＩＴ化し、買い物はネットで行い、便利になる一方で、暮らしの中から社会の構造が見えにくくなっている。そして、日本社会では、市民の社会参加が欧米ほど活発でない傾向がある。市民は、会社のよき従業員として従順に業務を果たし、よき消費者として景気を支える購買欲を持ち、よき納税者として税金を納めてくれれば、それでよかったのである。学生運動が吹き荒れた60年代には二度と戻って欲しくないというのがこの国の政府与党の見解だろう。

しかし、グローバリゼーションと、日本の一流経済大国からの凋落[115]により、このような消費者であればよい市民社会の構成員という構図が失効しつつある。科学もしかりであり、世界の大きな変革の中に、ただ受身でいては取り残される時代が到来したのだ。教育においてもしかりで、文科省のアクティブラーニングの推進姿勢にも見られるように、受動的な覚える教育から、能動的な考え発表する教育に、この国の教育はシフトしようとしている。そして、文科省は、そのような能動的な人材をグローバル人材と位置づけている。

115　日経新聞（２０１５年12月25日）によると、２０１４年の国民一人当たりのＧＤＰは、ＯＥＣＤ34カ国中過去最低の20位となった。

では、社会状況が変わる中で、科学情報と社会の関係はどのようにあればいいのだろうか。一言で言えば、システム間のコミュニケーションを促進し、科学と市民社会や他の社会システム間の情報の双方向のコミュニケーションを可能にする仕組みを作り出すことが不可欠なのだ。では、システム間のコミュニケーション実現化させてきたものはなにか。それは、文化システム、特にマスメディアと教育の役割が大きいと考えられる。

特に、メディアには即効性があり、様々なシステム間の齟齬を社会的に解決していくのに大きな役割を果たしてきた。これまで見てきたシステム間のコミュニケーションを円滑化させるために、この領域がどのように関わっていけばいいのかに主眼を置き、これからの市民参画の科学情報過程として提起したい。

システム間のコミュニケーションを円滑化させるために

諸システム間のコミュニケーションを円滑化させるのに、重要な役割を果たすのは文化システムのマスコミを初めとするメディアである。諸システムは一旦成立すると、なかなかその構造は変化しない。変化するにはシステム内の自立的な動きよりも、他のシステムからの働きかけが大きく左右する。例えば、経済システムが外部不経済だった公害を、法制化に促進された技術革によって克服するなどである。そのような、システム間のコミュニケーションを円滑化させてきたのはマスメディアの役割が大きかった。

　市民社会が科学知にアクセスしたり、逆に法制度の制定などに動く場合の、情報源となり諸活動を報道したり、あるいはネットで流したりするのはメディアであったからだ。むろん、経済システムや法・政治システムからのメディアへの圧力という形のコミュニケーションも存在している。しかしながら、日本のマスメディアには、明治の成立以来、在野の批判勢力として機能してきた歴史や伝統があると思われる。むろん、金の流れが情報の流れと比例し、例えば原子力発電に関してもメディアに巨額の宣伝費が流れ、世論を誘導したことが多くのジャーナリストによって指摘されている。[116]しかし、そのような日本社会のありかたに警鐘を鳴らすのも出版メディアを初めとするジャーナリズムである。現在でも、体制批判を行う力が完全に失われてしまったということはないだろう。

　加えて、教育も重要である。教育によって、新しい知識や技術、視座が新しい世代に付与されて、社会の姿かたちが大きく変わっていくからである。市民社会のエコ意識を高めた環境教育などが最近の事例と言えよう。環境教育に関しては、学校教育に留まらず、地域のＮＰＯや自然保護活動をしている市民が、ボランティアで観察会を開いたり、イベントを実施したり、広報誌を配布したりと地域密着型の活動を展開している。それらの、市民サイドの教育力も今後、益々重要になっていくだろう。

この論文の政策提言では、主にこの文化システムの代表ともいえるマスメディアと教育という、シス

116　『原発プロパガンダ』岩波書店　２０１６に詳しい。

テム間のコミュニケーションを円滑化し、システムのあり方を変容させる力の強い領域のあり方について、提言したい。

〈メディアに関する提言〉

第一章で分析してきたように、公害という問題を解決するためのシステム間のコミュニケーションを円滑化させたのは、マスメディアの働きが大きかった。今のマスメディアでは政治や経済などの専門家は育つが、科学ジャーナリズムの専門家は育ちにくい。一般的な新聞を読めば分かるように、社会・経済・政治・スポーツに紙面の大半が割かれており、文化や科学は申し訳程度に記事が掲載されている。新聞記者の人員の配置もそれに比例しており、科学部記社の絶対的な数が少ない。科学雑誌などのサイエンスライターなどは存在するが、主に先端科学の知識を分かりやすく伝えることがその仕事であり、科学技術のもたらす社会的なインパクトというものを分析する力がある専門家は少ないし、そのような評論活動を行うメディア自体が存在しない。大手のマスコミが科

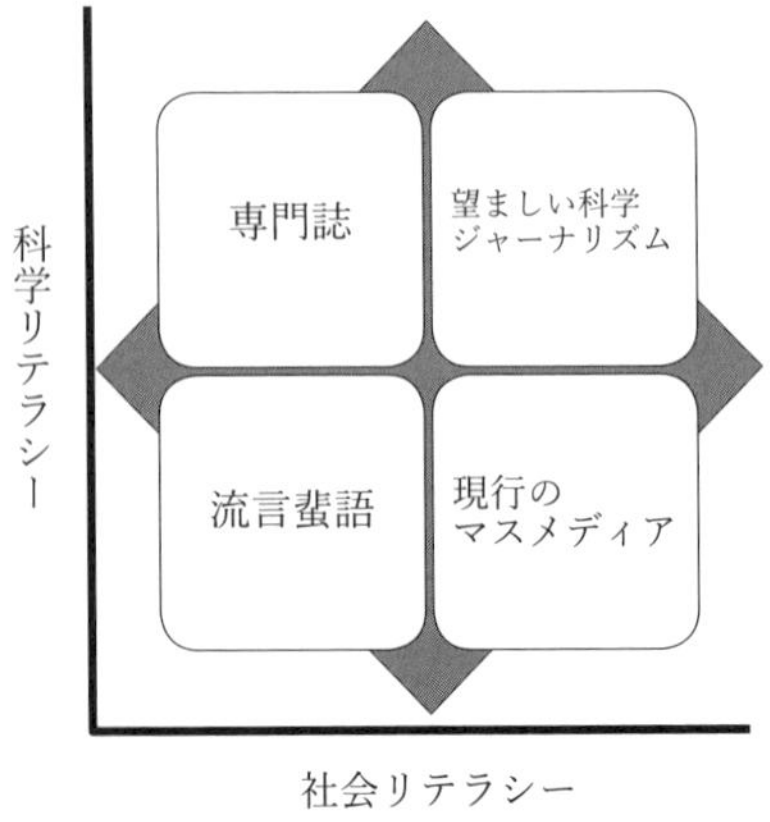

図4　現行のメディアの分類（筆者が作成）

学ジャーナリストを養成するような機関を創設するなり、科学の社会的な影響力について分析するようなメディアを創設する必要があるだろう。あるいは、社会部・政治部・科学部の記社がチームを組んで、取材・記事作成にあたるプロジェクトを続けることも効果的だと思われる。[117] 下図は、Y軸に科学リテラシーの程度、X軸に社会リテラシーの程度で、メディアを分類したものである。

右上の象限が望ましい科学ジャーナリズムとなる。このような社会性を持った科学ジャーナリズムの成立する新しい空間は一つはネット上にあると思われる。東日本大震災後に、放射能に関する懸念から自分で測定した数値をネットで公開するようなサイトが開かれた。公的な機関やクライアントや政府の圧力に屈した大手マスコミが情報を公開しない中で、それぞれ個人が勉強したり調査したりして、情報提供者になっていったことは記憶に新しい。

他のシステムからの圧力があるとしても大手マスコミには依然として力がある。大手マスコミは、まずは自社の科学ジャーナリズムを確立するために、理系の社員を採用して、訓練するなどしていかねばならないだろうが、多くの市民ジャーナリストの育成のために、養成機関やカルチャースクールに類したサービスも提供していくべきだろう。

現行では、ネット空間は流言蜚語や風評被害の温床となっているが（左下の象限）、市井の科学批評などを掲載しているホームページも存在している。原子力資料室などの定評あるＮＰＯも情報提供を

117　朝日新聞の連載『プロメテウスの罠』『原発とメディア』などは成功例だろう。

続けている。草の根のジャーナリズムが生まれるような環境を醸成していくべきだと思われる。

可能性があるといってもネット空間は、ジャンクな情報の坩堝であり、どのサイトの情報が信頼できるか見極める力が市民サイドに必要になるだろう。次の教育への提言でも述べるがメディアリテラシーを充実させる必要があるだろう。

〈大学教育に関する提言〉

第二章で分析してきたが、大学が担う専門的な科学知と経済システムの間のコミュニケーションについて考察したい。政府が大学と民間企業の産官学の連携を密にして、産業振興を図ろうとしていることは明白である。地域企業と大学の知財を結びつけ、特許にして新製品を作り出したり、地域の課題を大学が解決するような研究を行ったりすることが求められている。しかし、科学知と経済システムを結ぶ、コーディネーターの役割を担う人材育成の必要性が認識されるようになったのはこの数年である。

第六章では、市民社会と科学知の関係を中心に問い直して来たが、市民社会に埋もれたニーズを発掘するとか、市民社会の変化に対応するなどの取り組みは民間企業ではマーケティングリサーチとして実施されてきた。市民社会と経済システムのコミュニケーションの窓口が販売促進や新商品開発に特化していたのが現状だろう。マーケティングリサーチは多くは経営学部の教育内容となる。つまり、文系である経営学部は理系の工学部や理学部ともっと密接に連携した教育内容を求められるようになっているのだ。産業振興のために理系学部の教育を充実させようと文部科学省は考えているようだが、産業振興のためには理系だけでなく、例えば弁理士のような理系の知識と、法律的な知識を兼ね備えた人材、教育学部でも理系の基礎知識を備えた教職志望者を育成するなど、従来の文系学部を改編・拡充することが不可欠であると思われる。

加えて、グローバル化する経済の中で、日本が先進国のアドバンテージを生かしてサバイバルしていくためには、特許などの知的財産をどう管理するか、国際的な特許侵害にどう立ち向かうかが不可欠である。これは、日本と海外の法律に詳しいエキスパートが対応していかねばならない領域である。専門家としては弁理士という資格があるが、工学・理学・薬学・医学・ITと専門的な理系の知識をベースにした、高度な法律の知識を持った人材を養成する必要があるだろう。また、弁護士のような職業につく法学部出身者にも理系の知識を学ぶ機会が増えることが望ましいことは言うまでもない。

科学知に親しむ意味でも、科学知を批判的に判断するためにも、また科学知とともに経済活動をしていくためにも文系と理系のコミュニケーションは不可欠である。例えば、コミュニケーション論でも、従来の文系の知識だけでなく、パソコンやIT知識を持っていることが、研究にも進学にも不可欠となっている。社会自体が、高度な科学技術をベースとしたものになっている中で、従来の文系・理系の枠組みは硬直的過ぎると思われる。従来の文系・理系を超えたリベラルアーツを創造して行く必要があるだろう。

しかし、大学のリベラルアーツも重視している国内の大学は少ない。ＩＣＵや東京工業大学など限られた大学のみでリベラルアーツの考え方が取り入れられている。このような状況では、多くの市民が科学についての基礎的な知識や態度を取得することは困難だろう。そして、大学進学率が高い日本においては、大学教員の学生へのコミュニケーションスキルが重要だろう。特に、理系の大学教員が、どのように文系の学生に科学知を伝達するか、科学リテラシーを伝えるかについては、現状では課題が大きい。文部科学省の提唱のもと、ＦＤ[118]が導入され、大学教育のあり方を改善する方向で動いているが、その一環として科学知の伝達についても、重点的に改革していく必要があるだろう。

〈高等教育・義務教育に関する提言〉

高校2年次に多くの学校では理系と文系を分けてしまう。理系には物理・化学・生物・地学と高度な数学を教えるが、文系では幾つかの理系科目の基礎知識を教えるだけである。そして、社会のあり方を学ぶ現代社会という科目には、科学技術と社会がどう向き合えばいいかについての視座を学生に持たせることが重要であるという認識がない。ＩＴ社会について考えさせる機会になるはずの情報という科目はホームページの閲覧の仕方とか、メールの使い方だとかハードとソフトの操作に主眼が置

118　http://www.mext.go.jp/b_menu/shingi/chukyo/chukyo4/003/gijiroku/06102415/004.htm（２０１６・８・31）

かれているように思われる。文系の学生も、科学技術と自分たちの関わり方について、リテラシーを高めるような科目が不可欠だろう。理系の学生にも、難しい入試問題を解かせるのもいいが、科学の社会的な役割について考えさせる機会を設けるべきだろう。その際には、現代社会の変化を加速しているＩＣＴをどう教育に導入していくかの議論が不可欠である。

義務教育では、理科として教えられているが、実験や観察の経験を多く生徒に持たせるように現場の教師は苦労している。小さな科学者を育てるという趣旨なのだが、地域の環境保護ＮＰＯと協働するなどして、社会的な課題と科学の関係を考えさせるきっかけ作りをしていく必要があると思われる。

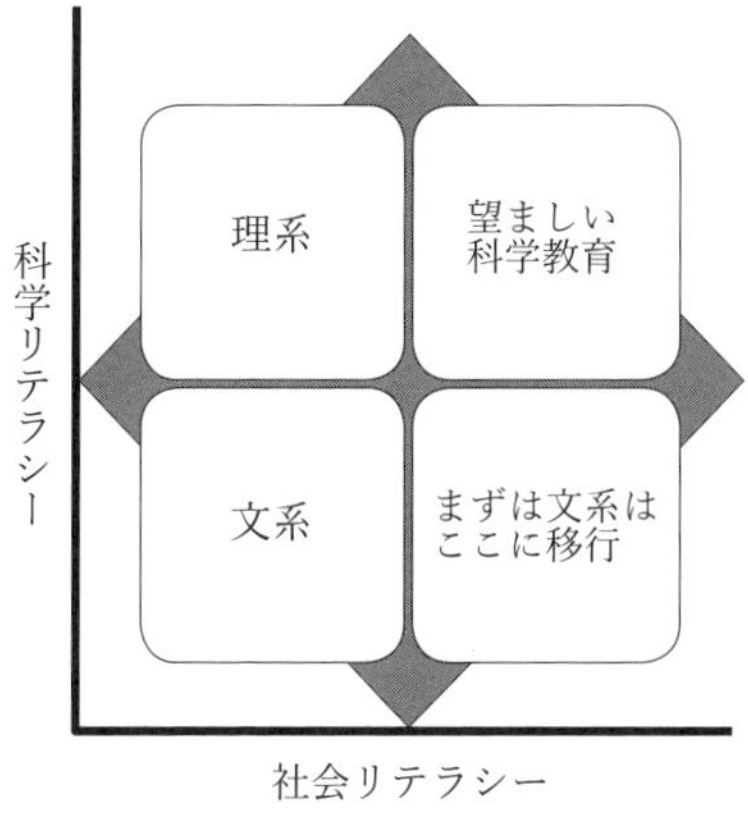

図５　現行の理科教育の分類（著者作成）

〈政治・法制度に関する提言〉

第五章では、脳死臓器移植を例に取り、科学知と法制度の関係について考察した。法制度と科学知の関係について補足すると、現状では、創薬や軍事技術など様々な科学の研究や科学技術の開発は、民間によって担われ、それらの科学知は特許となったり、あるいは特許の申請さえされずに秘匿されることが少なくない。専門知が市民社会へクローズドになってしまうのだ。しかし、科学技術の中には社会的に重要な意味を持つものも少なくない。名和小太郎の「科学への公衆アクセス法案」によると、アメリカの下院に2003年、科学への公衆アクセス法案が提出された。これを支持したのは科学公共図書館であり、科学・医学文献は公共財であると信じる科学者と医学者とが、それら文献の自由利用を目指して結成した非営利団体である。米国法律図書館協会と研究図書館協会も賛意を示した。この法案は廃案となったが、アメリカでは、科学知へのオープン・アクセスの動きが活発化しているという。

当然、特許として科学知の機密性を保持したいという主張もあり、このほうが現在では産業社会の主流を占めるのだが、何らかの形で市民が科学知にアクセスする仕組みを作らないことには、この社会がどのような脅威に晒されるか分からない。第五章でも批判してきたが、市民は自分の生きる社会を自律的に自己決定する権利を持つのではないだろうか。ゆえに、近い将来日本版科学知へのアクセス法案が提出される可能性は高いだろう。それまでに、科学知という公共性の高い、社会へのインパクトが大きい情報をどのように市民に開示するか議論していかねばならないことは言うまでもない。

加えて、凄まじい勢いで進む生殖技術も課題となっている。第三章では、公共的性格を持つ情報であるDNA情報の利用についての問題点を指摘したが、人工授精や代理母、最近では子宮の移植や男性の妊娠出産までも研究されている。日本の民法では、DNA鑑定で親子関係がなくても、戸籍上親子であればそちらを優先すると最高裁の判決が下った。しかし、この判決には多くの疑問の声があがっている。代理母で、依頼した夫婦の精子と卵子が使われても、生まれてきた子は、代理母の子供となる。これに関しても、疑問の声が高い。子宮と卵巣を移植して、出産した場合は、遺伝的にはその母体とは別の個体になるが、現行の法律ではどのように判断するのだろうか。科学の進歩が法制度をどう変えていくのか、これは国民的な議論が必要になることは言うまでもない。先にも述べたが、これらの社会に大きなインパクトがある科学技術について市民に伝えていくのはジャーナリズムの役割が大きいだろう。また、どう科学技術と向き合うのかについてのリテラシーは、教育が担うほかないだろう。

〈経済に関しての提言〉

経済システムでは専門知を利用して技術革新や新製品を作り出すのが利潤を生み続ける活動に不可欠である。そのためには特許や意匠などを守る必要があり、科学知についてのアクセスには慎重である。しかし、何らかのアクセス法を整備する必要があり、そのためにはＩＳＯシリーズで科学情報管理などについての指標を作ることが早道なのではないか。第四章でも述べたように、環境問題にもＩＳＯシリーズが対応し、大きな役割を担った。

また、法制度の整備に対し、積極的に関与することも不可欠だ。市民社会を第四章で見てきたように単なる消費者ではなく、企業の存在を支える存在として尊重し、市民社会の科学知の向上に対して、貢献する姿勢を見せるべきである。経済システムのアクターに、科学情報はオープンにすることが、未来の消費者を創造することを、大学等の教育システムや、ジャーナリズムが周知させていく必要があるだろう。

そのような諸問題に関しても、市民社会の中で議論を活発化させるためにも、メディアの役割、文化システムの役割が大きいだろう。

4．提言を現実化させるためにまずは不可欠なこと

システム間のコミュニケーションの動きを円滑化させるには、文化システムを活用することが一番の近道であると考える。前述したが、現在のマスメディアは、経済システムや法・政治システムのコントロールの下に、自由な言論活動が制限されていると言わざるを得ない。例えば、TVの民法では電力会社がスポンサーになっているので、原発批判の番組を作ることが難しい。NHKにも、政府与党の圧力が及んでいることは、暗黙の了解となっている。教育に関しても、文部科学省のアクティブラーニングの構想の中に、科学技術との関係性を考えさせるという視点はない。

しかしながら、マスコミの中には、権力を批判することが役割であると考える記者たちが存在しており、広告収入によらない出版や、ネットなどでは、自由な発現が可能である。科学情報過程としてシステム間のコミュニケーションを円滑化させる、社会性と専門性を兼ね備えたジャーナリストが数多く生まれるような制度設計が待たれる。教育に関しても、環境教育などの取り組みや、地域のNP

Oなどの連携に、新しい課題と向き合う可能性が見える。まずは、科学と市民社会の関係性のあり方について、情報過程から何が足りないのかを分析し、対策を示すことが不可欠であり、その問題提起の一助にこの論文がなればと思う。(敬称略)

参考文献

第一章

小林傳司『トランス・サイエンスの時代—科学技術と社会をつなぐ』、NTT出版、2007年。

トーマス・クーン『科学革命の構造』、みすず書房、1971年。

村上陽一郎『科学の現在を問う』、講談社現代新書、2000年。

広重徹『科学の社会史〈上・下〉』、岩波現代文庫、2002年。

吉岡斉『科学革命の政治学—科学から見た現代史』、中公新書、1987年。

原科幸彦『環境アセスメントとは何か』、岩波新書、2011年。

石牟礼道子『苦海浄土』講談社文庫、1972年。

高木仁三郎『原発事故はなぜくりかえすのか』、岩波新書、2000年。

将基面貴巳『言論抑圧—矢内原事件の構図』、中公新書、2014年。

宇井純『公害原論』、(亜紀書房)、1971年。

ユルゲン・ハーバマス『公共性の構造転換』、未来社、1973年。

ユルゲン・ハーバマス『コミュニケーション的行為の理論〈上・中・下〉』、未来社、1985〜1987年。

ニコラス・ルーマン『社会システム理論〈上・下〉』、恒星社厚生閣、1993年。
高木仁三郎『市民科学者として生きる』岩波新書、1999年。
ユージン・スミス『写真集　水俣』三一書房、1991年。
最首悟『生あるものは皆この海に染まり』、新曜社、1984年。
タルコット・パーソンズ『政治と社会構造〈上・下〉』、誠信書房、1973年。
天野郁夫『大学の誕生』、中公新書、2009年。
クリストフ・シャルル他『大学の歴史』、文庫クセジュ、白水社、2009年。
中山茂『天の科学史』、講談社学術文庫、2011年。
板倉聖宣『日本理科教育史』、仮説社、1968年。
原田正純『水俣病』、岩波新書、1972年。
原田正純『水俣病はまだ終わっていない』、岩波新書、1985年。
政野淳子『四大公害病』、中公新書、2013年。

第二章

天野郁夫『大学の誕生（上）』『同（下）』中公新書、2009年。

池内了『科学のこれまで　科学のこれから』(岩波ブックレット)、２０１４年。

鈴木淳『科学技術政策』山川出版社、２０１０年。

中井浩一『大学「法人化」以降』中公新書ラクレ、２００８年。

藤垣裕子『専門知と公共性―科学技術社会論の構築へ向けて』東京大学出版会、２００３年。

吉見俊哉『大学とは何か』岩波新書、２０１１年。

第三章

清水信義『ヒトゲノム＝生命の設計図を読む』岩波書店、２００１年。
米本昌平『バイオポリティックス　人体を管理するとはどういうことか』中公新書、２００６年。
マリー＝モニク・ロバン『モンサント』作品社、２０１５年。
島田久美子『いのちの環境情報学』遊友出版、２００９年。
https://www.npa.go.jp/hakusyo/h24/honbun/html/o2220000.html(２０１５・11・２)
http://www.eeoc.gov/(２０１５・11・２)
http://www.ddbj.nig.ac.jp/index-j.html（２０１５・11・２)
https://www.cira.kyoto-u.ac.jp/j/index.html(２０１５・11・２)

https://ja.wikipedia.org/wiki/%E9%81%BA%E4%BC%9D%E5%AD%90%E7%B5%84%E3%81%BF%E6%8F%9B%E3%81%88%E4%BD%9C%E7%89%A9（2016・1・22）

第四章

荒畑寒村『谷中村滅亡史』岩波文庫、1999年。

有吉佐和子『複合汚染』新潮社、1975年。

アル・ゴア『不都合な真実』、ランダムハウス講談社2007年。

石弘之『酸性雨』岩波新書、1988年。

石弘之『地球環境報告』岩波新書、1988年。

石牟礼道子『苦海浄土』講談社、1972年。

宇沢弘文『地球温暖化を考える』岩波新書、1995年。

小林辰男　青木慎一『地球環境入門』日経文庫、2006年。

東海林吉郎・菅井益郎　『通史・足尾鉱毒事件　1877〜1984』世織書房、2014年。

高木仁三郎『チェルノブイリ原発事故』七ツ森書館、2011年。

日本経済新聞社編『地球環境問題入門　新版』日経文庫、1992年。

広河隆一『チェルノブイリ報告』岩波新書、1991年。

ミランダ・A・シュラーズ『ドイツは脱原発を選んだ』岩波ブックレット、2011年。

レイチェル・カーソン『沈黙の春』新潮社、1974年。

ローマクラブ『成長の限界』ダイヤモンド社、1972年。

第五章

小松美彦・市野川容孝・田中智彦編『いのちの選択　今、考えたい脳死・臓器移植』岩波ブックレット、2010年。

小松美彦『脳死・臓器移植の本当の話』PHP新書、2004年。

小松美彦・香川知晶編著『メタバイオエシックスの構築へ—生命倫理を問いなおす』NTT出版、2010年。

森岡正博『増補決定版　脳死の人—生命学の視点から』法蔵館、2000年。

出河雅彦等『移植医療』岩波新書、2014年。

立花隆『脳死』中公文庫　1988年。『脳死再論』中公文庫、1991年。『脳死臨調批判』中公文庫、1994年。

梅原猛『脳死は本当に人の死か』PHP、2000年。

梅原猛編『脳死は死ではない。』思文閣出版、1992年。

第六章

高木仁三郎『市民科学者として生きる』岩波新書、1999年。

板倉聖宣『日本理科教育史』仮説社、1968年。

植村邦彦『市民社会とは何か　基本概念の系譜』平凡社新書、2010年。

星野智『市民社会の系譜学』晃洋書房、2009年。

岸田一隆『科学コミュニケーション　理系の〈考え方〉をひらく』平凡社新書、2011年。

齊藤萌木・長崎栄三『日本の科学教育における科学的リテラシーとその研究の動向』国立教育政策研究所紀要第137集、2008年。

中村征樹『サイエンスカフェ：現状と課題』科学技術社会論研究・5、2008年。

Jane Gregory、Melanie Smallman、Brian Trench、Declan Fahy、Joan Leach、Rick Holliman、Jeff Thomas、Steve Miller、Baudouin Jurdant、Elsa Poupardin『科学コミュニケーションのモデルおよび概念』The European Network of Science Communication Teachers（ENSCOT）、2003年6月。

日本学術会議科学・技術を担う将来世代の育成方策検討委員会『提言　科学・技術を担う将来世代の育成方策～教育と科学・技術イノベーションの一体的振興のすすめ～』、２０１３年。

文部科学省 http://www.mext.go.jp/b_menu/hakusho/html/hpaa200401/hpaa200401_2_014.

略歴

島田　久美子（しまだ　くみこ）

静岡県生まれ。東京大学学際情報学府修了。

博士（総合社会文化）。大手新聞社記者、中堅出版社編集を経験の後、駿台予備校、河合塾で小論文指導、Ｚ会で出題・指導。

現在、東京アカデミーで小論文講師。日本ペンクラブ会員

著書
『いのちの環境情報学』（遊友出版）
『プロが指導する実戦的　小論文講座』（遊友出版）

科学情報過程論

２０１７年9月1日　第1刷発行

著　者　　島田久美子

発行者　　斎藤一郎

発行所　　遊友出版株式会社

〒 106-0061
東京都千代田区三崎町３—２—13
ＴＥＬ０３（３２８８）１６９６
ＦＡＸ０３（３２８８）１６９７

http://www.yuyu-books.jp
art@yuyu-books.jp

振替 00100-4-54126

印刷所　　株式会社技秀堂

落丁・乱丁本のお取り替えは小社までお送りください

ISBN978-4-946510-57-1　C0004

いのちの環境情報学

本体価格１２００円＋税

「いのち」の視座から地球環境を考える。

ＤＮＡ、IT、そして未来へ！


いのちの複雑さ、生物の進化とDNAの伝達、その環境による変化を詳しく解説。公害やその環境での生態系や保全、さらにはヒトゲノムについてなど、いのちのあり方を考える一冊。


第１章では生命情報の複雑さ、遺伝情報の伝達、そして進化DNAなどを考えていく。

第２章では生命と環境について考える。

日本の公害（水俣病、四日市ぜんそく）、DNA損傷の恐怖、多様性が種の保全を助ける、他。第３章は情報化社会について。コンピューターの登場から始まり、ヒトゲノムの計算、インターネットの時代、情報化社会の現実と理想を考える。第４章は生命・環境・情報を総括して。有限の生命が希求し続ける無限とはなにかを考える。

プロが指導する
実戦的
小論文講座

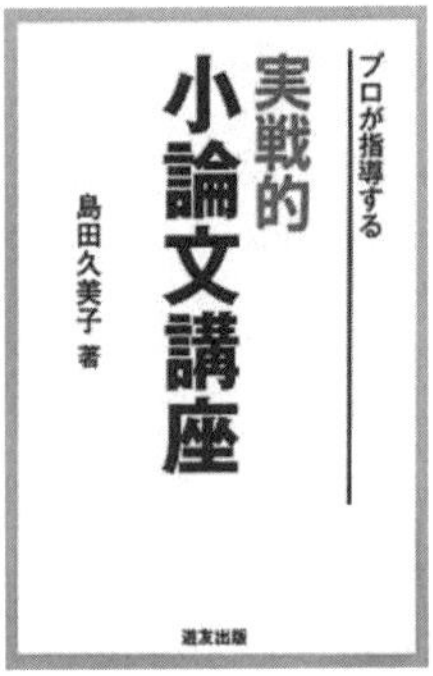

本体価格１２００円＋税

自分を最大にPRする手法を伝授、相手の心を動かす文章作りを指導、社会の動きを取り込むコツを教授、小論文プロの実戦的アドバイス。

Ⅰ～Ⅳ章に段階を踏んで組み立てていく。

第Ⅰ章では自分を知ること。そして自分をアピールする文章作り。そのためのメモづくりが基本であることをレクチャー。

第Ⅱ章では今度は相手を知ること。採点者は何をチェックするのかを知る、志望理由書で採用側の心をつかむ。

第Ⅲ章で「書き方を知る」、「小論文を書く手順」、「ジャンル別の小論文の書き方」を解説。

最終章の第Ⅳ章では「時代を知る」環境問題や格差社会、少子化、医療問題など様々な基本的な知識と問題意識を背景に考察。